LA VIE ET L'ŒUVRE

DE

CHINTREUIL

LA VIE ET L'ŒUVRE

DE

CHINTREUIL

PAR

A. DE LA FIZELIÈRE, CHAMPFLEURY, F. HENRIET

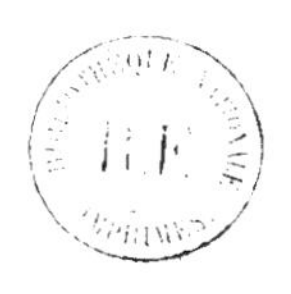

QUARANTE EAUX-FORTES

PAR

MARTIAL — BEAUVERIE — TAIÉE — AD. LALAUZE — SAFFRAY — SELLE — PAUL ROUX

PARIS

CHEZ CADART, LIBRAIRE-ÉDITEUR

RUE NEUVE-DES-MATHURINS, 58

—

1874

LE CA[illegible]

L'ŒUVRE de CHINTREUIL

EST IMPRIMÉ À 260

EXEMPLAIRES NUMÉROTÉS

DE 1 À 60 AVANT LETTRE

SUR CHINE ou WHATMAN

PRIX [illegible]

DE 61 À 260 AVEC LETTRE

SUR CHINE ou HOLLANDE

PRIX 60 FR

IMPRIMERIE A. CADART, RUE NEUVE DES MATHURINS 58

p 35

a

A

MONSIEUR MAURICE RICHARD

ANCIEN MINISTRE DES BEAUX-ARTS

Monsieur,

Permettez-moi de vous dédier ce livre, consacré à la mémoire de Chintreuil. En le plaçant sous votre patronage honoré, j'acquitte une dette de reconnaissance; car c'est vous qui avez mis d'emblée le méritant artiste au rang qui lui était dû, en le nommant chevalier de la Légion d'honneur; et vous comprendrez les sentiments qui ont donné naissance au travail que je publie aujourd'hui, vous qui avez su apprécier le caractère et le talent du peintre que nous regrettons.

Ce livre ne remplit toutefois que la moitié de la tâche que je me suis imposée comme un pieux devoir. Il me restait à révéler Chintreuil au public, au moyen d'une exposition générale de ses tableaux et études. M. le marquis de Chennevières, directeur des Beaux-Arts et M. Guillaume, directeur de l'École, se sont prêtés de la meilleure grâce à mes désirs, et m'ont autorisé à disposer des galeries de l'École. Je me fais un devoir de leur offrir ici le témoignage de ma reconnaissance.

Grâce à ces concours bienveillants, j'aurai donc pu préparer pour la postérité le dossier de ce peintre qui a tout fait pour elle. Si j'ai réussi à servir les intérêts de sa gloire, je serai suffisamment récompensé de mes efforts. Ce travail, d'ailleurs, n'aura pas été sans consolations pour moi; en évoquant le passé, en remuant ces peintures au milieu desquelles j'ai vécu, en me plongeant, toute autre affaire cessante, dans cette préoccupation unique, il me semblait que j'avais encore là Chintreuil, auprès de moi... J'oubliais par moments... à force de me souvenir!

Je ne saurais trop remercier non plus mes collaborateurs : M. Albert de la Fizelière, qui s'est chargé d'écrire la biographie de Chintreuil, M. Frédéric Henriet, qui a bien voulu dresser le catalogue de l'œuvre du peintre; M. Champfleury, qui nous a autorisé à reproduire un charmant chapitre de son livre : « Souvenirs et portraits de jeunesse; » MM. Martial, Taiée, Beauverie, Saffray, Ad. Lalauze, Selle, Paul Roux, Duvivier, qui ont su faire de ce livre une véritable œuvre d'art. Je dois constater aussi les soins particuliers que M. Cadart a donnés au tirage des épreuves. Quant à M. J. Claye, ce n'est pas seulement comme typographe de goût que son nom trouve sa place ici; je ne puis oublier, qu'amateur sagace et indépendant, il a été des premiers à comprendre et à encourager le talent de mon ami.

J'ai voulu qu'un dessin sur bois reproduisît le monument qui s'élèvera bientôt, dans le cimetière de la Tournelle, à la place où repose Chintreuil. C'est l'œuvre d'un habile sculpteur, M. Levé; et je crois ne pouvoir mieux lui témoigner toute l'estime que je fais de son remarquable travail qu'en lui donnant ici la modeste publicité dont je dispose.

Veuillez agréer, Monsieur, avec l'expression de ma gratitude, l'hommage de mes sentiments les plus respectueux.

JEAN DESBROSSES

NTREUIL ANTOINE, PEINTRE
PONT DE VAUX LE 15 MAI

ANTOINE CHINTREUIL

L'auteur de cette Notice a connu Chintreuil dès l'année qui a suivi celle de son arrivée à Paris. Une similitude de goûts, une admiration commune pour les poésies de la nature et pour les prestiges de l'art le rapprochèrent de lui. Peu à peu, l'intérêt profond et irrésistible qu'inspirait, en outre, l'ardeur de ce hardi pionnier en quête des chemins de l'avenir, indifférent aux obstacles dont leurs abords semblaient hérissés, aux martyres que laissait entrevoir cette audacieuse entreprise, dépourvue, au début, des ressources indispensables et même des plus simples moyens d'existence, l'attachèrent fortement à cet héroïque lutteur.

Il devint, quoique beaucoup plus jeune que lui, le confident ému de ses secrètes aspirations. L'un des premiers il fut le compagnon enthousiaste de ses excursions aventureuses dans le pays des rêves. Parfois aussi eut-il l'ineffable joie, facilement atteinte au seuil de la dix-huitième année, d'éclairer d'une lueur d'espoir les heures sombres du découragement.

C'est là sans doute ce qui lui a valu d'être choisi par les amis de Chintreuil pour accomplir la tâche amicale qu'il entreprend ici. En essayant d'élever à la mémoire du rare et excellent artiste dont nous déplorons la perte prématurée ce modeste monument d'une admiration sincère, et d'une sympathie qui n'a pas moins de trente ans de date, il remplit un devoir bien cher aux souvenirs et aux émotions de sa jeunesse.

C'est une précieuse consolation pour qui survit, dans le monde des arts et des lettres, à ceux de sa génération que les luttes de la vie ont terrassés avant l'heure, de glorifier leurs efforts et d'offrir leur vie comme un exemple salutaire des sacrifices incessants, des souffrances mortelles que la jeunesse studieuse doit affronter pour atteindre, à la longue, les sommets radieux où l'art sourit enfin à ses invincibles élus.

Chintreuil entra dans la vie doué de deux dons inappréciables qui devaient assurer sa carrière de paysagiste. Il avait l'intuition du langage mystérieux de la nature. Il savait percevoir dans ses expressions multiples, changeantes et fugitives, certaines formes poétiques dont le sens échappe au commun des hommes et souvent même à beaucoup d'artistes en renom. Enfin, il naquit avec le génie de la volonté. Là fut sa force, la clef de son avenir, et même le secret de sa résistance aux maladies terribles dont il eut si souvent à subir les atteintes réputées mortelles. Sans ce génie qui, chez certaines organisations valétudinaires et rétives aux facilités du savoir-faire, tient lieu de tout et force les barrière de la science, du talent et de la réussite, Chintreuil aurait fatalement succombé, ne pouvant trouver dans les faibles moyens d'exécution dont il était pourvu, la puissance créatrice que d'autres, plus favorisés, emploient dès le début à séduire les yeux par les prestiges de l'adresse.

La nature avait créé Chintreuil pour l'interroger et la comprendre. Le génie de la volonté, qui était en lui la force prédominante, suppléa aux défaillances natives de sa main. Il développa par une ténacité de recherches inouïes la faculté, qui lui manqua longtemps, d'exprimer d'une touche nette, claire et séduisante, ce qu'il voyait ou devinait avec l'originalité tendre et poétique de son cœur, et ce qu'il sentait plus vivement, plus intimement sans doute que beaucoup de ses rivaux, mieux partagés que lui par la fée trop facilement encensée de la prestidigitation.

L'artiste excellent dont je vais essayer de retracer la carrière trop tôt interrompue, fut une rare et remarquable exception dans notre École contemporaine de paysage. On peut dire de son art qu'il est né d'une conviction antérieure à ses premières études et de sa propre et volontaire initiative. Les livrets du Salon le présentent comme un élève du grand peintre Corot, parce que l'administration, par une singulière manie d'enrégimenter les exposants, exige qu'on soit officiellement l'élève de quelqu'un. Il faut s'entendre sur cette qualification d'élève, qui pourrait dérouter étrangement les Vasari de l'avenir. En réalité, Chintreuil ne reçut de son illustre devancier que des conseils d'ami, de véritables encouragements paternels, tout au plus quelques redressements efficaces des irrégularités et des lacunes de ses études premières. Il n'a pas travaillé sous ses yeux, sous ce qu'on appelle sa férule; il n'a pas surtout suivi, sous sa direction pédagogique, une méthode d'enseignement scolaire, ainsi que cela se passe chez les maîtres spéciaux qui font courber sous une loi commune et une règle immuable toute une génération disciplinée d'apprentis.

Ni Corot, ni Chintreuil n'étaient de tempérament, l'un à modeler un disciple à son image, l'autre à subordonner ses chères sensations ou ses inspirations individuelles aux exigences d'un directeur intellectuel.

Corot, avec cette bonne foi charmante du poëte épris de la nature, et cette simplicité magistrale de l'artiste qui s'en est approprié tous les secrets, s'efforça de développer, en les reconfortant de son amicale approbation, les aspirations et les tendances de son jeune protégé. Il avait tout d'abord compris, ou plutôt deviné, l'idéal un peu confus encore et très-faiblement défini dans les essais laborieux, mais informes, du néophyte plus enthousiaste qu'expérimenté, et avec une perspicacité digne de son admirable talent il sut le faire entrer de plain-pied dans la route qu'il le pressentait disposé à parcourir.

Chintreuil puisa dans les observations judicieuses que ses tentatives timides et incertaines inspiraient au vénérable maître la confiance de poursuivre des recherches trop souvent payées d'insuccès et la certitude qu'il y avait quelque chose en lui, puisque Corot comprenait le langage nouveau qu'il ne faisait encore que balbutier.

Le jour où, suivant un souvenir précieux de Chintreuil, rapporté par M. Fréd. Henriet, Corot voyant l'enfant débarrassé de ses langes et tout prêt à prendre son essor, lui dit : « Et maintenant, *mon amour,* il faut marcher tout seul, » Chintreuil était peintre, et sa poétique si franchement personnelle, si bien appropriée à la délicatesse exquise de ses perceptions, avait enfin trouvé sa formule.

Je ne connais guère de peintres — et c'est là précisément ce qui spécifie le genre d'originalité de Chintreuil — qui soient au même degré le produit direct de leur propre volonté, le reflet radieux, à son apogée, des visions de leur aurore.

Pour résumer ce préambule nécessaire, il importe de constater que le paysagiste éminent auquel ces pages sont consacrées acheta au prix de vingt-cinq années d'un travail incessant et acharné, sans se laisser détourner un instant par le désir pourtant bien légitime de jouir en paix de ses fruits, les dix ans de succès et de bien-être relatif qui vinrent enfin couronner son long martyre.

Le public, rétif à tout ce qui semble vouloir se soustraire à la routine adoptée par la mode, refusait de le comprendre. Il passait indifférent, quand il n'était pas ironique, devant ces œuvres sincères, qui avaient coûté à l'artiste tous les déchirements de la lutte à outrance et de la misère. Celui-ci persista dans sa foi; il ne fit ni concessions au goût trivial, ni flatterie à la vogue; il s'enveloppa résolument dans sa sainte croyance, il redoubla d'efforts, il aiguillonna son courage et, finalement, il fut ce qu'il avait décidé qu'il serait.

Les hommes de cette trempe, s'ils combattent pour une religion, deviennent des martyrs; à la guerre, ils sont des héros; dans les arts, ils montent glorieusement au rang des maîtres.

Antoine Chintreuil est né à Pont-de-Vaux, département de l'Ain, le 5 mai 1814. Sa famille avait été riche; mais au moment où il naquit, des catastrophes impossibles à conjurer venaient de consommer sa ruine. Il fallut songer à pourvoir aux besoins que la venue d'un fils allait rendre encore plus pressants.

Mme Chintreuil avait un grand cœur, un courage que l'adversité ne pouvait déconcerter, et, comme elle avait reçu, jeune fille, une instruction solide et variée, elle était placée à souhait pour faire face aux incertitudes menaçantes de l'avenir. Son parti fut bientôt pris : elle ouvrit un modeste pensionnat de jeunes demoiselles. L'honorabilité universellement reconnue de son nom et l'intérêt qu'inspirait sa détresse imméritée, lui attirèrent assez d'élèves pour ramener l'aisance dans sa maison. Son fils, à mesure qu'il grandissait, participait à l'éducation judicieusement entendue qu'elle donnait à ses petites pensionnaires; puis, quand il fut en âge de recevoir des leçons d'un ordre plus élevé, il alla suivre les cours du collége de Pont-de-Vaux. Le jeune Chintreuil dut sans doute à cette première éducation toute féminine, partagée avec des enfants d'un autre sexe, cette timidité excessive qui fut jusqu'à son âge mûr le trait le plus saillant de son caractère. Il avait en outre une tournure d'esprit rêveuse et romanesque. Tout enfant encore, les phénomènes de la nature exerçaient une influence étrange sur son imagination remplie d'aspirations tyranniques; mais tellement vagues, à cet âge où l'intelligence reçoit les impressions les plus vives sans parvenir à les définir et à les fixer, qu'il n'était pas possible ni à lui, ni à ses proches, de prévoir si ces tendances impérieuses mais indécises aboutiraient à la poésie ou à la peinture.

L'orage et les autres convulsions de la nature l'attiraient comme malgré lui, et, à la moindre apparence de trouble dans l'atmosphère, il s'échappait de la maison et courait comme à une fête aspirer le vent, la pluie et les brouillards à travers la campagne.

Il y avait à la sortie de la ville une longue allée de peupliers séculaires qui le charmaient par-dessus tout. Il contemplait, avec une admiration qui n'était pas exempte d'une anxiété poignante, ces grands arbres qui se tordaient, s'entre-choquaient sous les efforts de la tempête. Le bruissement des feuilles froissées par le vent formait, pour ses oreilles avides de ces harmonies mystérieuses, un concert qui pénétrait et ravissait ses sens.

Cette curiosité passionnée et persistante qui le portait à écouter les voix de la nature, à épeler son langage, ne semble-t-elle pas l'indice le plus sûr de la vocation qui, même à son insu, agissait déjà sur son esprit et le remplissait de ces admirations latentes qui devaient se traduire plus tard dans sa peinture, exclusivement dévouée à reproduire les accidents, les exceptions météorologiques du paysage?

C'est seulement aux environs de sa quinzième année, au moment où il venait d'éprouver l'immense douleur de perdre une mère adorée, qu'il commença à manifester un goût sérieux pour le dessin.

Ne serait-on pas tenté de croire que le premier grand chagrin de Chintreuil, en imposant une maturité précoce à son intelligence, y mit dans un ordre plus régulier ses impressions, longuement accumulées, et lui donna tout d'un coup la faculté de se rendre compte de leur signification précise? Toujours est-il que dès lors l'amour de l'art s'empara de tout son être. Édifié par cette ardeur subite qui s'en prenait à tous les objets environnants dont il se faisait des modèles, un vieil ami de son père, peintre amateur d'un certain mérite, M. Buisson, s'efforça de lui inculquer les premiers éléments de l'art.

Malheureusement pour ces beaux projets, qui ne tendaient à rien moins qu'à faire de lui, plus tard, un pensionnaire de sa ville natale, la mort de Mme Chintreuil, en mettant à néant une industrie profitable, avait plongé le père et le fils dans une gêne voisine du dénuement le plus absolu. Il fallut renoncer aux cours du collége; la nécessité s'imposa de travailler immédiatement pour vivre.

Alors et grâce aux démarches de quelques amis, Chintreuil fut admis à rester au collége en qualité de maître de dessin. Il n'en savait pas encore très-long lui-même; mais ce qu'il avait appris déjà lui suffisait pour faire copier à des enfants, des nez, des bouches ou des yeux, selon la méthode intelligente de l'Université. Il cumula avec cette fonction celle de moniteur général à l'école mutuelle de Pont-de-Vaux. Ces faibles ressources l'aidaient à subvenir aux besoins de son vieux père. Pendant deux ans il put gagner ainsi sa vie, tout en consacrant les rares moments dont son double emploi lui laissait la libre disposition à continuer ses études préférées. Cette existence pénible, et qui ne pouvait le mener à rien, dura deux ans; puis on le plaça au collége de Mâcon en qualité de maître d'étude. L'année scolaire écoulée, il revint à la maison paternelle et à la peinture.

Vers 1838, sa destinée prit une direction nouvelle, et il put entretenir pendant quelque temps l'espoir d'arriver à ses fins. Sa grand'mère maternelle mourut et lui laissa un modeste héritage, dont il devait avoir l'entière et libre disposition. Combien d'autres à sa place auraient accueilli cette fortune inattendue comme un moyen providentiel de suivre à leur gré une vocation si souvent contrariée! Chintreuil n'eut pas un instant l'idée de se soustraire aux devoirs que lui dictait la pénible situation de son père. Il lui laissa tout son argent, gardant seulement par devers lui deux ou trois cents francs, afin de ne pas entreprendre, sans une légère mise de fonds, la lutte qu'il prévoyait. Puis, rassuré sur le sort de son père, il partit pour Paris, jugeant que là seulement il avait quelque chance de voir se réaliser ses rêves.

Pauvre enfant! il ne prévoyait guère alors que cette ville, dont le nom prestigieux éclate en traits de flamme dans une auréole de splendeur aux yeux émerveillés des imaginations de vingt ans, que ce séjour dévorant béni par les uns, maudit par les autres, où se font et se défont dans la même journée les fortunes et les renommées, devait saisir, tordre et déchirer pendant vingt longues années, comme dans les serres d'un vautour, son pauvre corps chétif et son âme endolorie sous sa cuirasse de résignation. Hélas! l'eût-il prévu, qu'il serait parti tout de même; car il avait la foi robuste du néophyte, le courage et l'espérance.

Chintreuil débarqua à Paris vers le mois d'octobre 1838. Il apportait pour tout bagage une pauvre malle en bois renfermant dans ses flancs une demi-douzaine de bonnes vieilles chemises de province, quelques pièces de cinq francs, un habit noir râpé, — l'habit officiel du pion, — une boîte à couleurs, une petite étude peinte de paysanne de la Bresse et une lettre de recommandation pour M. Pierre Boitard, botaniste distingué et son compatriote. Son entrée dans la maison du savant fut pour lui le sujet de sa première et plus amère désillusion. M. Boitard, dessinateur scrupuleux des échantillons d'histoire naturelle qu'il gravait lui-même pour l'intelligence de ses livres, avait, comme tous les amateurs, de grandes prétentions au titre d'artiste. Chintreuil avait pénétré chez lui imbu de l'idée qu'il venait chez un confrère arrivé et même illustre, dont les arrêts en fait d'art devaient être sans appel. M. Boitard, après un examen sommaire, lui déclara nettement que sa peinture bressanne n'avait pas le sens commun, et que ses dessins lourds, maladroits et cahotés excluaient toute apparence de dispositions. Il voulut cependant le mettre à une nouvelle épreuve avant de prononcer en dernier ressort, et il lui donna quelques planches de fleurs et d'insectes à colorier. Ce métier pouvait devenir pour lui une ressource, tandis qu'il poursuivrait au Louvre ou à l'Académie des études plus sérieuses. L'infortuné Chintreuil, très-maladroit de ses mains, complétement étranger à cette profession qui exige une grande légèreté et beaucoup de précision de pinceau, ne put parvenir à étendre également et dans les limites du contour une teinte plate d'aquarelle. Il était jugé : jamais il ne saurait devenir peintre. M. Boitard décida qu'il serait libraire. Grâce à l'intervention de son éditeur spécial, Mme Leneveux, il le fit recevoir commis dans la maison de commission d'Édouard Legrand. Puisque j'ai nommé Mme Leneveux, je ne dois pas négliger de dire que notre ami eut le bonheur de trouver en elle une seconde mère. Non-seulement à l'époque où il fit ses premiers pas dans Paris, mais encore pendant toute la durée de son pénible noviciat d'artiste, il la trouva toujours prête à l'entourer d'aide et de soins. Chintreuil se lia, parmi ses collègues de la librairie, avec un enthousiaste de littérature, comme lui-même l'était de la peinture, plus jeune que lui, arrivant comme lui de sa province et qui devait, quelques années plus tard, donner tant de relief au nom de Champfleury.

Ce compagnon bienveillant et fidèle des travaux journaliers et de l'école buissonnière a écrit dans son curieux livre des *Souvenirs et Portraits de jeunesse,* quelques pages émues et charmantes sur le « peintre des brumes et des rosées », comme il se plaisait à appeler son ami. Les lecteurs les retrouveront ci-après, car personne mieux que Champfleury ne pouvait retracer des souvenirs dans lesquels sa personnalité est si intimement liée à celle de Chintreuil.

La librairie n'absorbait pas tant notre futur paysagiste qu'il y pût trouver l'oubli de ses préoccupations favorites. Du seuil de son triste magasin, son regard embrassait la ligne des quais, si féconde en accidents de lumière. De là il assistait pensif et mélancolique à ces gigantesques combats de nuages, roulant tumultueusement les uns sur les autres pour aller se déchirer et s'entrouvrir sur les arêtes monumentales du Louvre et les cîmes verdoyantes du jardin des Tuileries. Puis il avait les merveilleux couchers de soleil qui embrasaient l'horizon de leurs feux diaprés et enveloppaient d'une poudre d'or la silhouette brumeuse de l'Arc de l'Étoile. L'instinct du paysagiste reprenait le dessus dans ces moments délicieux de contemplation solitaire. Aussi, quand sonnait l'heure des courses en ville, la passion de l'art le provoquait-elle, au détriment du comptoir, à de hâtives échappées dans les galeries des musées. Ou bien encore il dérobait quelques quarts d'heure à la commission, pour aller parler peinture avec plusieurs jeunes artistes en expectative dont son camarade Champfleury lui avait procuré la connaissance. Les projets vont vite et loin quand ils sont encouragés par des voix amies et fortifiés par l'exemple journalier de la vie d'indépendance et de vocation à laquelle on aspire. L'automne de 1839 commençait à peine à poindre que Chintreuil se laissa entraîner à une excursion de peinture vers les montagnes du Dauphiné, par un de ses nouveaux amis, Lazare Velquez, l'un des héros de l'épopée de Murger. Il apprit au retour que M. Édouard Legrand n'aimait point les commis touristes et lui avait retiré son emploi.

Le sort se prononçait, Chintreuil allait être artiste! Les deux frères Desbrosses aînés, l'un peintre et l'autre sculpteur d'avenir, mort quelques années après au seuil du succès, lui proposèrent fraternellement d'associer son infortune à leur misère, et, pendant deux ou trois ans, ils vécurent en commun, ou pour mieux dire ils firent des efforts surhumains pour ne pas mourir de faim. Le troisième frère, Jean Desbrosses, qui plus tard devait devenir l'élève, l'ami, le protecteur, le soutien, la sœur de charité de Chintreuil malade et incapable de diriger lui-même les détails de sa vie, n'était alors qu'un enfant.

Il y avait dans ce temps-là, vers le quartier du Cherche-Midi qu'habitait Chintreuil, un groupe de jeunes artistes, peintres, poëtes, sculpteurs, musiciens, graveurs, romanciers, dont plusieurs se sont fait depuis un nom dans leur art. Quelques-uns d'entre eux ont servi de modèles à Henri Murger pour la composition de ses types de *la Vie de Bohême*. Il serait difficile, sans entrer dans des détails étrangers au sujet de cette Notice, de donner une idée de l'entrain, de la gaieté, de l'insouciance de l'heure présente, qui régnaient dans ce groupe qu'on appelait « la bande à Bisson », du nom de celui d'entre eux que sa verve exubérante et intarissable, et la facilité prodigieuse dont il faisait montre dans tous les exercices de l'art, avaient fait proclamer le boute-en-train en chef. Chintreuil vivait au milieu de ce petit monde bruyant et endiablé, parmi lequel il comptait quelques excellents camarades; mais il avait le plus grand soin de se dérober à toutes ses gamineries. Il souriait de ce tapage, de son sourire fin et bienveillant, mais il évitait, sans affectation, d'y prendre part. En été, tandis que la bande s'ébattait au loin, cherchant le plaisir ou la distraction *per fas et nefas,* Chintreuil se couchait aussitôt que le jour avait éteint son dernier rayon. Ce rayon, l'ardent travailleur le poursuivait jusque sur le toit, se penchant sous sa lumière fuyante pour donner une dernière touche au dessin ou à l'étude de la journée.

Chintreuil, faible de complexion, toussant toujours, était laborieux, mélancolique et contemplatif. Dès cette époque, il avait déjà pour objectif de prédilection les modifications fugitives que subit un paysage sous l'influence d'un phénomène atmosphérique. La grande allée de peupliers de Pont-de-Vaux bruissait toujours dans son souvenir. Mais par malheur sa science était médiocre encore, son acquis très-insuffisant et sa main lourde et maladroite. Quoiqu'il indiquât cependant d'une manière un peu plus que sommaire l'effet qui le préoccupait, il n'arrivait pas à le rendre très-intelligiblement. Alors, de taciturne qu'il était presque toujours, il devenait prolixe et éloquent pour me faire comprendre, par la parole et à grands renforts de gestes, les effets magiques qu'il avait observés dans la campagne ou parfois seulement sur le boulevard Montparnasse, et il terminait infailliblement ses descriptions par ces mots : « Oh! quand je saurai! » Il me disait souvent aussi : « ah! si j'avais seulement 150 francs, de quoi vivre deux mois, jour et nuit, en pleine campagne! Dans une excursion de quelques heures, hors barrières, on ne peut voir que des commencements ou des fins d'effets. Il faudrait vivre dans la nature. »

J'ai retrouvé dernièrement à la vitrine d'un brocanteur une de ces tentatives de Chintreuil, à la perpétration de laquelle j'avais assisté : un effet de pluie partielle dans un ciel ensoleillé. J'ai retrouvé ce tableau avec un vif intérêt et un vrai plaisir, bien qu'il fût lourd de touche et sourd de ton. J'ai revu d'un seul coup, à l'aspect de cette toile, toute la misérable mansarde de la rue du Cherche-Midi; la forêt de cheminées et de tuyaux de tôle qui s'étendait, à perte de vue, de sa fenêtre au boulevard de Sèvres, — son unique Fontainebleau, à ce déshérité, — et enfin Chintreuil en personne dans sa fidèle vareuse rouge, ramassé sur lui-même au sommet d'un haut tabouret, pour se mettre au niveau du jour, et courbé sur sa toile, s'efforçant de mater l'effet rétif.

Cependant Chintreuil ne se dissimulait pas qu'entre le moment présent et le jour espéré où il pourrait réaliser ses visions, il y avait un interminable espace tout rempli d'étude, d'essais infructueux, de faim, de luttes cruelles et que, pour le traverser, il fallait absolument trouver un gagne-pain. Nous pensâmes à l'une de ces copies à 800 francs du ministère, que M. Cavé distribuait sur le fonds des encouragements aux arts. Mais pour arriver à ce résultat tant désiré, il était indispensable d'obtenir l'appui d'un député bien pensant, appui que Chintreuil ne pouvait manquer de trouver auprès de celui de son arrondissement, protecteur naturel de ses compatriotes.

Je venais de débuter dans le journalisme et je signais alors une petite revue de beaux-arts. Chintreuil, convaincu que la « haute position » de son ami ne pouvait manquer de peser favorablement sur la détermination de M. Poisat, député de l'Ain et raffineur d'or à la Monnaie de Paris, me pria de lui écrire pour appuyer la demande d'audience qu'il lui adressait. Voici l'inconcevable réponse que je reçus :

A M. A. DE LA FIZELIÈRE
RÉDACTEUR EN CHEF DU *BULLETIN DE L'AMI DES ARTS.*

« Monsieur,

« J'ai eu l'honneur de recevoir votre lettre en faveur du jeune Chintreuil. Il doit désirer vivement continuer à mériter votre bienveillance : quant à moi qui ne peut (*sic*) apprécier son mérite d'artiste, je crains beaucoup, voyant le triste état où il est réduit, qu'il ne se soit mépris sur sa vocation. Je sais tout ce qu'a de noble la carrière des arts, mais je ne crois pas qu'on puisse arriver à s'y distinguer, quand on ne peut pas littéralement vivre en s'y préparant. Si Chintreuil, tout en étudiant, travaillait à un métier quelconque, je concevrais qu'inspiré par une vocation, il pût prétendre, avec du temps, à acquérir un vrai talent, mais quand il faut se créer tous les jours par des moyens artificiels ou par des sollicitations, les ressources pour avoir le pain quotidien, la tâche devient trop difficile, et il faut laisser à d'autres plus heureusement placés la gloire et le profit du succès.

« J'ai fait pour M. Chintreuil tout ce que je pouvais raisonnablement faire comme député et comme compatriote. Je me dois à beaucoup d'autres qui ont autant de titre (*sic*) que lui au peu de bien que je puis faire.

« Veuillez agréer, etc.

« *Signé :* M[1] POISAT, Député (1). »

« Paris, 6 avril 1844. »

Cette lettre, émanant d'un homme pour lequel Chintreuil professait un grand respect et une sorte d'admiration de clocher, — c'était le grand homme de Pont-de-Vaux, — lui porta un coup violent. Pendant plusieurs jours il se demanda sérieusement s'il ne ferait pas mieux d'aller tirer la brouette aux fortifications.

Une nouvelle dont je lui fis part le reconforta un peu. Je venais d'apprendre que sur une simple recommandation de Béranger, un peintre de genre, M. Dulong, fils du député tué par le général Bugeaud, avait reçu une commande de la direction des beaux-arts. Son parti fut aussitôt pris : dès le lendemain il se présenta chez l'illustre poëte et lui raconta naïvement son histoire.

On sait ce qu'il en advint : Béranger, touché aux larmes de tant de courage et de résignation, prit, sans autres informations, sa cause en main. Il lui promit d'agir pour lui, de mettre tous ses amis en réquisition pour venir à son aide. Puis, comme il fallait pourvoir dès le jour même aux plus pressants besoins, Béranger lui paya soixante francs un petit tableau très-naïf et très-nature qui le charma beaucoup et que Chintreuil avait apporté sous son bras, en témoignage de ce qu'il savait faire. Le poëte n'était pas connaisseur,

(1) En 1853, quand Chintreuil commença à marquer au Salon, M. Poisat s'humanisa au bruit des applaudissements de la critique et lui acheta l'un de ses tableaux : *Un effet d'automne.*

dans le sens bourgeois du mot, mais il aimait la nature et il ne pouvait rester indifférent à une expression simple et sincère. « On dirait qu'on est là! » s'écriait-il en le regardant. Chintreuil avait découvert son amateur. Il y avait désormais un clou quelque part où il pouvait accrocher de temps en temps une de ses œuvres, sous un regard qui la comprit. Il était temps que ces soixante francs tombassent dans la main du pauvre artiste; il avait atteint les suprêmes limites de la détresse.

Béranger n'avait pas seulement un cœur d'or, il y joignait toutes les prévoyances paternelles d'un homme qui avait longtemps demandé son pain de chaque jour au travail. Il s'inquiéta de savoir en quoi consistaient les frais de fabrication d'un paysagiste, et quand il apprit qu'il fallait un attirail nombreux de toiles, de couleurs, de brosses, de papier, de crayons qui se renouvelaient sans cesse, il voulut absolument ouvrir un crédit à son nouvel ami, chez un marchand de couleurs. M. Giroux s'empressa d'accepter la caution du chansonnier, et Chintreuil put voir luire enfin des jours qui n'étaient plus obscurcis par les incertitudes ou les terreurs du lendemain.

En attendant la réalisation des promesses de son cher protecteur et les résultats favorables de ses démarches, Chintreuil se mit à travailler d'arrache-pied à composer, sur des motifs recueillis dans ses promenades précipitées, de petits sujets propres au débit, du moins l'espérait-il ainsi. Ces tableaux, à visées poétiques et sentimentales, rappelaient de loin, avec une allure un peu lourde encore, non pas comme on l'a dit les ouvrages de Corot, mais bien plutôt les paysages de demi-style de Lessieux et de Teytaud, qui cultivaient alors avec un égal succès d'école les bois de citronniers et de lauriers roses. On pressentait en lui, pendant cette période de transition de son talent, comme une vague et tacite ambition de prendre part un jour aux concours pour les prix de Rome. Cette maladie, très-superficielle d'ailleurs, ne résista pas à l'agrément qu'il put enfin se procurer, peu de temps après, de se plonger à corps perdu dans la simple et saine nature.

De cette époque datent quatre tableaux qui lui donnèrent un certain relief parmi ses camarades, et même un vernis d'artiste arrivé, quoique les jurys de 1843 et 1844 leur eussent fermé les portes du Salon officiel. Ils furent admis dans une exposition particulière ouverte aux galeries Bonne-Nouvelle. En voici la désignation sommaire : *Alexis et Corydon*, églogue de Virgile, paysage composé, genre poétique, faux, quoiqu'il porte l'empreinte de recherches très-sincères.

Sara la Baigneuse, paysage romantique, où l'imagination abonde.

La *Chute des feuilles*, composition mélancolique et d'une grande simplicité, dans laquelle perce déjà le sentiment profond, quoique timidement exprimé, des tristesses et des pâleurs de l'arrière-saison.

Le Tombeau des quatre sergents de La Rochelle, à Montparnasse, peinture heurtée, violente et conçue dans un accord parfait avec les impressions douloureuses qui étreignaient alors le cœur de l'artiste. A partir de ces deux tableaux, que Chintreuil ne se rappelait pas sans doute, plusieurs années après, sans sourire au souvenir de leurs allures tragiques, il prit la saine résolution de consulter la nature dans le sens de la vocation réelle qui était en lui. C'est alors qu'il entreprit les études et les œuvres de la première période de son talent. Ces nouveaux efforts lui ouvrirent le Salon, en 1847, et les recommandations de Béranger, accueillies avec bienveillance par ceux de ses amis qu'il cherchait à endoctriner en faveur de son cher protégé, le mirent enfin sur la voie d'un succès restreint encore, mais déjà profitable.

J'ai sous les yeux vingt lettres de Béranger. Elles témoignent toutes de l'intérêt sincère, de l'estime, de l'affection paternelle qu'il avait conçus pour le doux artiste dont le premier essor était, sans contredit, l'œuvre de ses soins. J'en détache une, adressée à M. Louis Viardot. Elle honore au même degré la pensée qui l'a dictée et l'intéressant artiste qui en est l'objet :

« Mon cher Viardot, le porteur de cette lettre est le peintre paysagiste Chintreuil,
« dont quelques journaux ont déjà parlé avec éloge, mais qui, amoureux de la
« nature, ne sait pas encore assez combien il faut sacrifier au goût du public qui,
« seul, achète les tableaux et fait vivre ceux qui les font. Chintreuil, que j'encourage
« depuis huit ans, brave la misère par dévouement à l'art. Ce sera un titre à vos
« yeux, j'en suis sûr, pour lui prêter appui si vous le pouvez. Vos nombreuses
« relations, vos connaissances artistiques, qui vous ont placé au premier rang des
« juges de la peinture, seraient la meilleure recommandation pour Chintreuil, peintre
« naturaliste, aux tons frais et vrais, si vous pouvez le mettre en rapport avec
« quelques amateurs éclairés, assez généreux pour lui procurer l'encouragement dont
« il a le plus grand besoin, c'est-à-dire la vente de quelques-uns de ses ouvrages,
« car il commence à se lasser de mourir de faim. Il n'a peint jusqu'à présent que
« pour quelques-uns; tâchons de lui éviter le chagrin de peindre pour tout le
« monde.

« Paris, 16 janvier 1852. »

C'est à cette époque de sa vie que Chintreuil alla planter son chevalet de paysagiste à Igny. C'est de là qu'il partait chaque jour, et par tous les temps, pour aller étudier ces bords si frais et si simples de la Bièvre, dont les brouillards et les rosées lui ont inspiré les tendres et touchantes idylles de sa muse devenue enfin grande fille. Je ne fais qu'effleurer toute cette période de six années. Elle a été décrite d'une plume émue et avec la note vraie d'une admiration spontanée et sincère, par M. Frédéric Henriet, l'organisateur judicieux du présent Catalogue, dans une Esquisse biographique publiée en 1858.

J'arrive à l'automne de 1855, date cruelle pour Chintreuil, où il fut obligé de fuir les bords funestes de cette Bièvre tant aimée, qui semblait vouloir lui faire payer par des menaces de mort les inspirations bénies dont elle avait enluminé les premières et touchantes pages de son œuvre. La poursuite de la vérité peut devenir mortelle. Plus d'un sont tombés foudroyés pour avoir osé étendre un doigt interrogateur vers les nudités divines de cette vierge sévère.

Chintreuil, accroupi dès l'aurore dans les herbes humides et jusqu'aux dernières lueurs du jour, peu chaussé, mal vêtu, passant par des transitions à peine saisissables des rigueurs d'un soleil ardent aux grelottements d'un crépuscule imbibé de rosée; affrontant sans précaution pluie et vent, neige et frimas pour s'approprier quelques impressions de plus, avait vu se développer soudain les symptômes de l'horrible pleurésie, avant-coureur lugubre des phthisies caractérisées. Jean Desbrosses, au ménage duquel il avait mêlé depuis 1849 sa modeste installation d'artiste célibataire, l'emporta dans son petit atelier, le couvant du regard comme une mère au chevet d'un fils adoré, l'entourant des meilleurs médecins, de soins incessants, de précautions touchantes. Après six mois d'angoisses, il parvint à le sauver. Chintreuil alla passer sa convalescence en Picardie. Il en rapporta de bonnes études qui, selon le classement que M. Henriet en a fait, doivent clore la série des œuvres de sa seconde manière, si l'on tient compte, comme d'une première, des tentatives souvent heureuses de 1845 à 1849. Revenu à un état pathologique qui était presque pour lui la santé, Chintreuil fut bientôt rongé du désir de se fixer de nouveau à la campagne. Seulement la Faculté consultée prescrivit un séjour sec, aéré, où l'artiste fervent, de plus en plus ardent à l'étude de la nature, pourrait travailler en sécurité sous l'influence d'un climat plus égal et plus clément. On choisit la Tournelle-Septeuil, auprès de Mantes.

C'est là que notre ami passa les seize plus douces années de sa vie. C'est là aussi qu'il rendit à la nature cette âme tendre et pieuse, dont elle avait fait le charme et la consolation. Dès lors, Chintreuil vit s'étendre le cercle de ses admirateurs, au fur et à mesure qu'il perfectionnait sa poétique, et que sa main, devenue sûre de son travail, excellait de mieux en mieux à écrire exactement sa pensée. En même temps sa palette s'était enrichie; elle avait acquis des harmonies plus fraîches, des tonalités nouvelles et puissantes et d'un attrait auquel il aurait été difficile de se soustraire.

Presqu'au début de son séjour à Septeuil, une profonde et inconsolable douleur était réservée au pauvre Chintreuil, condamné par le sort à ne voir jamais un bonheur succéder à un autre.

Béranger mourut. Ce fut pour son cœur une plaie difficile à cicatriser. Cependant son bien-être eut moins à souffrir que son affection; car déjà le nombre grandissait des personnalités considérables qui se faisaient un devoir et un honneur d'entretenir pour lui la veine du succès. J'ai là cinquante lettres, de la teneur desquelles il résulte qu'un groupe dévoué d'amis : Alex. Dumas fils, Corot, Jules Janin, le professeur Arnould, Th. Thoré, Louis Viardot, Alex. Batta, Ernest Chesneau; MM. de Nieuwerkerke, Maurice Richard, Paul Périer, bien d'autres encore, s'employaient activement à faire acheter ses tableaux. Depuis 1862, les salons annuels furent pour Chintreuil l'occasion de véritables triomphes. Il n'est pas jusqu'à l'ostracisme inexplicable du jury de 1863 qui ne tournât à sa gloire et n'affermît l'enthousiasme des amateurs, qui savaient enfin le comprendre et goûter son adorable poésie.

M. Henriet a rapporté quelque part un mot bien significatif d'un peintre de genre historique célèbre, qui fut amené à visiter un jour l'atelier de Chintreuil. C'était vers 1858 — la date est importante à noter, — M. C. Comte, pourquoi ne pas le nommer? semblait avoir quelque peine à accepter ce talent absolument réfractaire à la tradition. Un examen plus attentif le fit bientôt surmonter ses préventions, et il ne put résister plus longtemps au charme discret mais pénétrant de ces peintures. Une étude de figure, qui attira son regard, lui révéla par induction la technique personnelle du paysagiste, et, comprenant soudain ce qui d'abord lui avait paru obscur dans cet art si neuf pour lui, il se prit à admirer avec entraînement et il ne put s'empêcher de s'écrier : « Messieurs les paysagistes, vous êtes nos maîtres. »

Une conversation que j'ai eue un jour au Salon, devant un tableau de Chintreuil, avec un paysagiste d'une certaine notoriété, forme un curieux pendant à l'anecdote précédente, mais elle est loin de témoigner d'autant de bonne foi ni d'une si rare intelligence. Je la rapporte ici, parce qu'elle donne une idée exacte de ce que sont, dans l'art contemporain, en opposition avec les voyants et les croyants, tels que Corot, Rousseau, Chintreuil et d'autres encore en assez grand nombre, Dieu merci, les peintres confectionnés dans les écoles, selon les procédés officiellement acceptés.

Un de ces infortunés coulés dans un moule étiqueté se démenait et gesticulait devant l'admirable tableau du *Bois ensoleillé*, du Salon de 1869. On a appris à cet homme à faire, sous le nom d'arbres, certaines petites combinaisons de couleurs posées géométriquement sur la toile, par touches carrées, rondes, triangulaires, ovales, disposées en festons, en dents de peigne ou autrement — selon l'essence du bois — un chêne se feuille comme cela, un sapin comme ceci, un peuplier de cette façon et pas autrement. Il m'interpella quand je le rejoignis devant le tableau de Chintreuil :

« Il y a donc du talent, là-dedans?

— Énormément.

— Alors, je vous prie de me dire à quoi m'a servi d'apprendre, si un gaillard qui ne sait rien de ce qu'on m'a appris peut passer pour avoir du talent? »

C'est à la suite du Salon de 1870 que Chintreuil reçut, sur la proposition de M. Maurice Richard, ministre des beaux-arts, cette distinction honorifique qui consacre, dans les Arts et dans les Lettres — du moins aux yeux du vulgaire — le talent et la renommée. Certes, elle n'ajoute rien à la valeur réelle d'un homme, mais elle lui assure dans la vie sociale une place que le mérite seul ne saurait atteindre. Le « Combien vaut-il? » des Américains, race marchande, a pour équivalent en France, pays de vanités, avide d'apparences, l'éternel : « Est-il décoré? » Cette question vient en effet sur toutes les lèvres quand on cite, chez un marchand de tableaux ou chez un libraire, le nom d'un homme célèbre.

Cette décoration accordée trois ou quatre ans plus tôt, et il y avait plus longtemps qu'elle était méritée, eût probablement assuré la fortune de Chintreuil. Amateurs et marchands auraient été à ses pieds, comme s'y mirent ses compatriotes eux-mêmes, afin d'obtenir ses tableaux pour leur musée et plus tard son portrait pour leur galerie historique. Le petit maître de dessin toléré par charité au collége de Pont-de-Vaux occupe aujourd'hui un cadre armorié dans le salon d'honneur de la mairie. Cependant il faut être juste pour tout le monde : on n'attendit pas sa croix d'honneur pour lui rendre hommage. A la réception de sa première médaille, le maire de la ville lui avait déjà laissé entrevoir qu'un panneau serait réservé, sans doute pour y placer un jour son portrait.

Tant d'honneurs tardifs tracent un sillon d'amer chagrin dans le cœur des amis de Chintreuil. Quels regrets! quand on songe que durant dix ans et plus l'infortuné disputa, jour par jour, à la mort la proie qu'elle convoitait; à l'épuisement et aux défaillances morbides, des œuvres enfantées dans la douleur et qui semblent néanmoins à ceux qui les contemplent, l'effusion virile et passionnée d'un cœur jeune dans un corps vaillant; quand on se souvient que cette pensée nette et puissante n'avait d'autre interprète que des mains paralysées par la phthisie, on se prend à déplorer que ce malheureux Chintreuil n'ait pas obtenu plus tôt ces satisfactions morales qui auraient pu adoucir ses tortures et assurer le bien-être de sa vieillesse. Quand elles arrivèrent, l'heure fatale était déjà marquée.

Dans la nuit du 9 janvier 1873, Chintreuil fut pris tout à coup d'un étouffement, rapidement suivi d'une violente expectoration de sang. Un remède héroïque appliqué en toute hâte le tira en moins d'un mois de cette crise, la plus terrible, la plus cruellement significative qu'il eût encore subie.

A peine remis, il voulut faire un tableau pour le Salon. Il était convaincu qu'en travaillant il s'imposait à la vie et trompait la mort. Chaque matin, grelottant la fièvre, trébuchant au bras de son fidèle compagnon, il allait péniblement de son lit à son chevalet. Un mois après, il avait accompli cette œuvre capitale qu'on appelle *Pluie et Soleil*. Elle est là; vous venez de l'admirer : n'est-ce point l'expression radieuse et suave de la poésie de la peinture dans toute l'expansion juvénile d'un cœur amoureux?

Inclinez-vous, prôneurs présomptueux des jeunes sans convictions et sans énergie : Chintreuil avait soixante ans, lorsqu'il peignit cette toile, et il était en train de mourir!

Le tableau fut fini, exposé, acclamé; mais l'artiste était terrassé. La médecine eut l'idée — on appelle cela de la compassion — d'envoyer le malade aux Eaux-Bonnes. On rattachait ainsi, disait-on, à une lueur d'espoir son amour de la vie, justifié désormais par le succès.

Ce voyage fut, d'un bout à l'autre, une abominable torture. Parvenu à la station thermale dont il attendait un miracle, le malade fut en proie à une fièvre persistante et incompatible avec le traitement des eaux. Un matin, vers la fin de juin, Chintreuil prit les mains de Desbrosses et il lui dit : « J'ai encore de la force pour trois ou quatre jours ; je veux mourir à La Tournelle, partons vite. » Desbrosses le rapporta, couché dans ses bras, après un court arrêt à Arcachon, jusqu'au seuil de cette maisonnette bénie où, seize ans durant, il avait trouvé le bonheur dans la médiocrité et le repos dans le travail.

La vue de son château, comme ses amis appelaient en riant sa gentille chaumière, l'aspect de ses trois arpents en fleur et de son jardin parfumé de roses, parurent le ranimer.

Pendant la seconde semaine de sa rentrée, il éprouvait même un bien-être si doux — l'aurore de la dernière heure des poitrinaires — qu'il fit demander à Paris une toile et des couleurs. Il voulait peindre encore. Avant même qu'elles ne fussent arrivées, l'agonie le saisit ; mais il garda toute sa connaissance et sa sérénité.

« Mon cher ami, dit-il au docteur Aimé Martin, son médecin, je sais que je n'ai plus que quelques heures à vivre ; ne prenez donc pas la peine de chercher à me tromper. Je vous l'affirme, depuis que je suis convaincu que je ne pourrai plus tenir un pinceau, je vois arriver la mort sans effroi : j'en suis presque à la désirer. »

Le 10 août 1873, il rendit sa belle âme, son âme de poëte, son âme d'enfant, dont la pureté native n'avait jamais été souillée par une mauvaise pensée — ses amis le savent — malgré tant de souffrances, tant de déboires, tant de duretés imposées par l'indifférence ou la méchanceté des hommes.

ALBERT DE LA FIZELIÈRE.

BRUMES ET ROSÉES

I.

« *Il faut vouloir une chose, la vouloir tout entière, la vouloir toujours, et alors on l'obtient,* » disait Maupertuis.

De tous mes amis, je n'en connais pas qui ait été plus gouverné par cette tenace volonté que Chintreuil, le peintre des pommiers en fleur, des rosées matinales et des bruyères.

Longtemps je perdis de vue mon ancien compagnon de librairie; il courait les champs, je cotoyais les sentiers de la bohème, et Chintreuil, d'une nature délicate et timide, fuyait nos discussions artistiques traversées par d'énormes farces.

Que d'efforts ne dut-il pas dépenser pour rendre, même maladroitement, son sentiment intérieur! Tous désespéraient de son avenir en voyant la sécheresse des esquisses accrochées aux murs, la forme grêle des arbres, la pauvreté de ton; tous regrettaient que Chintreuil n'eût pas continué son métier de commis-libraire; tous déploraient le fâcheux entêtement qui lui mettait le pinceau en main.

Et cependant qui sait où peut conduire un tel entêtement, c'est-à-dire la volonté persistante!

Chintreuil, n'osant aborder tout d'abord la nature corps à corps, alla demander des conseils à Corot. Le bonhomme lui prêta des liasses d'études peintes en Italie, qu'il prodiguait à tout venant : notes positives et froides, sans relations apparentes avec les brumes matinales du plus poétique des maîtres de notre époque; mais il en est de ces esquisses exactes comme des difficultés algébriques cachées sous l'orchestration d'une mélodie. Corot, jeune, s'était rompu la main par ces études sévères et véritablement classiques.

Chintreuil s'enferma dans son grenier, meublé seulement des motifs qu'on lui avait confiés, vivant au milieu de quartiers populeux où il n'y avait trace ni d'herbe ni de verdure! Après avoir épelé cette grammaire de la nature, l'ancien commis-libraire pensait aux jours heureux où il lui serait permis de vivre au milieu des bois.

Nettes et précises, les études de Corot offraient nombre de difficultés. L'apparence du grand dans les arts s'obtient quelquefois par des tricheries; mais le naturel, voilà qui ne laisse place à aucune surprise. Chintreuil arrivait à peine à rendre ces esquisses dans leur simplicité, et si, fatigué de les copier, il essayait de reproduire quelque nuage entr'aperçu à travers les cheminées des mansardes voisines, une voix critique se faisait entendre qui étouffait les satisfactions d'un orgueil naissant.

Pourtant le peintre ne se désespérait pas de ses vains efforts, pas plus que l'insecte des plages de la Méditerranée qui a trouvé une petite boule de fumier, utile pour son emmagasinement d'hiver. Les pattes appuyées contre la boule, il la pousse, et à chaque poussée son corps, par suite d'une trop vive impulsion, passe par-dessus la boule, qui a avancé d'un millimètre à peine. Qu'importe! le frêle insecte recommence sans cesse et toujours, tombe, se relève, tombe encore, revient sur ses pas; et, après une journée d'obstiné labeur, ce fumier tant convoité a franchi un espace considérable, — la valeur d'une enjambée d'homme.

On sourit de semblables efforts. Celui qui entreprend de s'illustrer par les lettres, les sciences et les arts, doit apporter autant de ténacité : son chemin n'est guère plus rapide que celui de l'insecte.

Chintreuil, pour se retremper, allait rendre visite à Corot, qui soutenait son courage, le relevait dans ses défaillances, lui faisait entrevoir l'avenir, et un jour le combla de joie par ces mots qui peignent le bonhomme : « A présent, mon amour, il faut marcher tout seul. » Marcher seul en face de la nature, cela semble facile. Mais les horizons de la vie d'un paysagiste sont rembrunis comme ceux d'un sombre orage. Imposer aux acheteurs de gais coteaux, des prairies vertes, des pommiers en fleur! Le gros public a soif de jouissances plus matérielles.

Chintreuil jugea sainement la situation. Le cénacle de la rue d'Enfer ne le poussait pas à continuer une vie de privations à laquelle quelques-uns avaient déjà succombé, et qui devait enlever Mürger plus tard. Il alla trouver Béranger, et cette heureuse inspiration fit que le peintre put se développer, soutenu par l'affection constante du poëte.

Jusqu'à sa mort, Chintreuil fut l'hôte de la maison. On a des preuves touchantes de la sympathie que lui portait le chansonnier, par de nombreuses lettres adressées à différents personnages pour les intéresser à son protégé. « Sa noble résignation, sa délicatesse de sentiment, écrivait le vieux poëte, m'ont vivement attaché à lui, au point de souffrir moi-même des maux qu'il endure et que je ne puis adoucir que trop faiblement. » Dans une lettre à Thoré, Béranger disait encore : « Vous aimerez certainement ce talent exquis qui n'a pour partisans que les connaisseurs qui, comme moi, n'ont pas le sou dans leurs poches. »

Béranger, dans son désir d'être utile à ceux qui l'entouraient, abusa peut-être des lettres de recommandation; mais il disait vrai dans ces lignes et caractérisait nettement « le talent exquis » de l'homme plein d'une « noble résignation ». Échappant à la paralysante misère, Chintreuil put, dès lors, envisager plus tranquillement l'avenir, soutenu par le chansonnier, qui le traitait en enfant de la maison.

Le vieux poëte s'associait-il entièrement aux aspirations du peintre? Souvent Béranger regrettait l'absence de personnages dans les paysages de son ami. Une plaine riante des environs de Paris, une guinguette aux volets verts, de joyeux buveurs attablés sous la tonnelle, eussent répondu plus directement à l'idéal du chantre de *Madame Grégoire*.

II.

On ne décrit pas un paysage de Chintreuil : c'est une émotion. Comment rendre la tendre verdure du printemps, les jaunes décolorations qui annoncent l'hiver, peinture mélancolique et inquiète comme la biche traversant une clairière. Les lakistes anglais pourraient seuls traduire dans leurs poésies discrètes ces sentiers à demi effacés par la chute des feuilles, chers aux rêveurs.

On reconnaît un ami de la solitude à ces paysages où les genêts et les aubépines poussent en liberté. Personne n'est assis près de l'étang paisible, au-dessus duquel passent, en jetant un coup d'œil, les nuages paresseux. Personne au pied des grands peupliers inclinant doucement leurs têtes sous les caresses du vent. Les seigles commencent à mûrir, les pommiers sont en fleur, Avril s'enfuit pour faire place à Mai : les bourgeons se déchirent; déjà pointe la langue verte et dentelée des tendres feuilles du printemps. A l'automne, les brouillards transparents s'élèvent dans la campagne; la terre se teinte des dépouilles des arbres.

Voilà les motifs favoris de Chintreuil, qui rarement a peint la fleur épanouie, le fruit dans sa maturité. Les transitions de l'hiver au printemps, de l'été à l'automne, la poétique mélancolie qui s'attache à ces transformations : telles sont les difficultés avec lesquelles lutta l'homme, et il faut des natures délicates pour le comprendre.

Le diable, se promenant un jour dans la campagne, rencontra un peintre occupé à dessiner un arbre. — « Il faut, seigneur, dit le diable, que vous soyez amoureux. » Le peintre étonné regardait le diable. — A la façon dont cet arbre apparaît sous votre crayon, je gage que vous êtes amoureux. »

Cette légende explique l'inquiétude de Béranger pour son ami. Le diable eût constaté plus de mélancolie que d'amour dans les tableaux de Chintreuil.

— Je m'y connais, me disait Béranger; moi aussi j'ai écrit sur la peinture, pour les entreprises de Landon.

Et Béranger parlait des paysages historiques de Valenciennes, de Michalon et de Bertin, *animés* de groupes académiques. Le chansonnier insistait là-dessus, que même les classiques, malgré les grandes lignes de l'ordonnance de leurs compositions, n'avaient pu se passer de figures. Chintreuil souriait et ne suivait pas ses conseils. Il avait une foi d'apôtre, et il essayait de la faire partager au chansonnier, lui expliquant que le public était las d'une école qui avait abusé du *pittoresque*, des dames empruntées à Watteau, des chameaux, des singes, des Turcs, des murs délabrés, des lianes, des vieilles villes normandes, et qu'à cette heure il était temps de représenter la nature dépouillée de tout artifice.

Corot avait le premier percé les brumes du matin; il montra que l'aube et la rosée avaient une valeur. A peine cette voie tracée, de jeunes talents obéirent à la parole du maître. Entre autres, Chintreuil sut se créer une place à côté de la personnalité robuste et poétique de celui qui avait lutté trente ans avant de se faire accepter; mais Béranger, tout en admirant la foi de son protégé, s'occupait plus de politique que d'esthétique.

La révolution de 1848 éclata. Les temps étaient orageux, et à côté du chansonnier voué à la politique, était assis un être assez naïf pour s'intéresser à une allée de pommiers. Les gens armés descendaient dans la rue : on n'entendait que des bruits de crosses de fusil résonner sur le pavé. Combien était tendue la situation! Plus qu'un autre, Béranger s'en inquiétait. Pour soutenir le nouveau gouvernement, il cherchait des hommes; Chintreuil cherchait de grandes prairies où la verdure repose l'esprit. L'émeute un jour éclatait. Fusillades, barricades, massacres sanglants, Béranger s'en lamentait. Aux environs de Paris, le paysagiste voyait l'herbe pousser, le feuillage s'épaissir, et la fade odeur du sang versé n'arrivait pas jusqu'à lui.

L'Assemblée pouvait être envahie, les hommes s'immoler entre eux : le peintre n'entendait que le chant des oiseaux. Ce n'était guère la succession des gouvernements qui le préoccupait, mais les douces émotions causées par un nuage pourpre qui se teint de lilas, s'irise, se confond dans de vastes nappes moutonneuses et rentre dans l'égalité de la nuit.

On traite d'égoïstes les artistes qui ont la force de ne pas s'occuper de politique. Quel égoïsme que celui de ces hommes qui, pour quelque renommée, se consument en efforts, subissent mille privations, et enseignent ceux qui ne savent pas voir à regarder!

L'art *ou* la politique, et non pas l'art *et* la politique.

Entraîné dans la politique, l'artiste ne s'appartient plus. Plein d'amertumes, il rêve la chute d'un gouvernement et se dit : « Je ne reprendrai mes pinceaux qu'après la ruine d'un état de choses que j'exècre. » Chaque jour, les regrets s'ajoutent aux regrets; l'homme souffre de son inaction. Il sent dans quelle voie tortueuse il est entré; il vit avec des mécontents qui ajoutent à ses mécontentements intérieurs.

Que l'esprit de l'artiste vibre au récit des misères, que l'homme soit ému de la souffrance, que la tyrannie pèse sur lui, rien ne doit l'empêcher de croire à l'art.

Il se peut que l'arrivée au pouvoir d'un ambitieux quelconque soit utile au progrès de l'humanité; mais le paysagiste joue également son rôle dans la civilisation. Aussi m'étendrai-je en toute liberté sur ces humbles artistes qui se contentent de vivre de peu et offrent par leur pinceau des consolations aux âmes délicates.

Aux jours de fête du cénacle de la rue d'Enfer, nous traversions la plaine de Montrouge pour nous ébattre dans les campagnes voisines : à Châtillon, à Bagneux, à Fontenay-aux-Roses, à Chatenay, à Bourg-la-Reine, pays pleins de fleurs et de fruits, campagnes fertiles et sinueuses où les bois succèdent aux champs, les étangs aux jardins, les collines aux vallées. Du haut de Châtillon, bâti sur une éminence, les horizons de Paris apparaissent, non plus blafards ni de plâtre, mais bleus et poétiques. Une route ombragée de cerisiers mène de Sceaux à Bagneux; à Aulnay, les chalets sont entourés de pampres, de clématites et de vignes vierges. C'est la nature parisienne variée, coquette, derrière laquelle se cachent des coins ignorés et touffus, traversés par la Bièvre.

Ce fut là que, plus tard, Chintreuil planta sa tente. Les environs d'Igny fournirent au peintre des moissons de tendres verdures, de saulaies, d'horizons, qu'il faut avoir vus dans son atelier pour comprendre la poésie cachée à quelques pas des fortifications de Paris.

Ai-je bien rendu la sensation que donne un paysage de Chintreuil? On est arrivé aujourd'hui à tirer de l'encrier des descriptions qui se *voient* presque autant que de la peinture; ces merveilleuses descriptions, je les remplace par un morceau poétique peu connu :

L'herbe était blanche de gelée;
Un long brouillard à l'horizon
Cachait le fond de la vallée;
Le coq finissait sa chanson.

Le soleil perçait le nuage.
C'était le matin d'un beau jour;
Et sur l'arbre encor sans feuillage
Déjà l'oiseau chantait l'amour.

Le ciel sur la plaine éclaircie
Rayonne et rend les prés fumants.
Le givre fond, et la prairie
Est couverte de diamants.

La rivière longe, profonde,
Le chemin au pied du coteau;

Et, fier de saluer le monde,
Le soleil se mire dans l'eau!

Dans tout je lisais le présage
Du doux printemps que nous aimons.
Un vent frais frappait mon visage,
J'aspirais l'air à pleins poumons.

Faible et chétive créature,
Au loin mon âme s'envolait.
Dans le calme de la nature
C'était Dieu même qui parlait[1].

Mais combien de telles sensations poétiques sont difficiles à faire pénétrer dans l'esprit du public, surtout quand il faut débuter sans fortune, sans nulle adresse de main, remplacer le beefsteak par l'espérance de se faire un nom, prendre pied petit à petit, imiter d'abord, dégager sa personnalité de celle d'un maître puissant, émouvoir avec des bruyères solitaires, une prairie verte. Tel fut le lot de Chintreuil; mais n'était-il pas voué fatalement par son nom[2] au paysage[3]?

(1) *Promenade du matin*, par Antoine Clesse, poëte belge.

(2) *Cheintre* en patois veut dire une lisière de bois autour d'une terre : « Voilà une cheintre dans laquelle il y a de beaux chênes » disent les paysans.

(3) Cette étude est empruntée aux *Souvenirs et Portraits de jeunesse*, par Champfleury. Paris, Dentu, in-18, 1872.

CHAMPFLEURY.

p. 3

Chintreuil

A
CHINTREUIL
ANTOINE
PEINTRE
PONT-DE-VAUX
1814
SEPTEUIL
1873
Cles LEVÉ Sculp.

i

CATALOGUE

AVANT-PROPOS

L'œuvre de Chintreuil peut se classer en deux grandes époques qui comportent chacune une sous-division. La première époque comprend : 1° les essais à Montmartre, à Meudon, au parc Monceau, etc., de 1846 à 1849, essais remplis d'inexpériences, de pauvretés de dessin, mais où Chintreuil révélait certaines qualités natives de finesse et de distinction, des curiosités pleines de promesses et de vagues aspirations vers un idéal nouveau; 2° les études faites dans la vallée de la Bièvre, de 1850 à 1857.

Pendant l'intervalle qui sépare ces deux dernières dates, Chintreuil habita Igny; et depuis Massy et Palaiseau jusqu'à Jouy et Buc, il n'est pas un coin qu'il n'ait exploré et où il n'ait planté son chevalet. Toutes les études de cette période de sa vie présentent les mêmes caractères d'intimité délicate, de sincérité naïve, le même ordre d'impressions douces et pénétrantes, les mêmes recherches patientes de ton et de modelé, et ces colorations particulières d'un vert tendre et velouté, et le parti-pris obstiné de se créer de toutes pièces, devant la nature, une poétique neuve, personnelle, originale.

Subordonnant tout dans son système à l'impression et au sentiment, il simplifie le motif sans dédaigner la forme, toujours cherchée et voulue; il écarte les détails, mais sous ses masses et ses valeurs, un œil attentif reconnaît un modelé amoureusement poursuivi; la forme a souvent des gracilités mièvres, mais non sans élégance, qui sont dans le tempérament de l'artiste à la fois débile et distingué. Il aime la nature aux heures où elle appartient plus exclusivement aux rêveurs et aux poëtes, à l'aube et au crépuscule ; et les symphonies du soir, les embrasements des soleils couchants reparaissent fréquemment dans son œuvre. Il se plaît surtout à lutter avec les caprices de l'atmosphère, brouillards argentins, gelées blanches et rosées scintillantes. Il affectionnait les tristesses du temps gris : aussi revient-il souvent aux élégies de l'automne, comme au thème favori de sa pensée. Lutteur solitaire et méconnu dans le champ clos parisien, sans famille et sans ressources, peut-être était-il particulièrement prédestiné à comprendre les mélancolies de l'arrière-saison. Il ne s'en tient pas, comme la plupart des paysagistes, aux caractères extérieurs de l'automne. Il en a pénétré en poëte les allanguissements et les désespérances. Il en a fait comme le confident de ses épanchements et de ses douloureuses résignations.

La maladie grave qui frappa Chintreuil en 1855, et dont M. de la Fizelière a dit ici les navrantes péripéties, obligea Chintreuil à fuir désormais les brouillards malsains de la vallée de la Bièvre. Il passa, en 1856, le temps de sa convalescence chez un ami, à Boves en Picardie, et il en rapporta un certain nombre d'études que nous réunissons à leur date au catalogue. Cette suite clot la série des ouvrages qui appartiennent à la première manière du peintre.

En 1857, Chintreuil alla chercher, aux environs de Mantes, à la Tournelle-Septeuil, l'air salubre des bois et des plaines et s'y fixa définitivement. A partir de ce moment, il s'opère dans le talent de Chintreuil certaines modifications qui, sans entamer le grand caractère d'unité qui domine son œuvre, marquent une phase nouvelle de sa carrière. A Igny, il semblait que l'artiste peignît par amour platonique de l'art ; les aimables confidences de son pinceau charmaient quelques fidèles, mais ne portaient pas sur le public. A la Tournelle, il sort délibérément de cette pénombre discrète. Il renonce à certaines recherches microscopiques qui faisaient la joie des initiés ; il devient militant, il luttera pied à pied contre les résistances des uns et l'indifférence du plus grand nombre. Il forcera la critique à « rompre enfin son trop long silence, » contre lequel, un des premiers, réclama généreusement M. Paul Mantz. Toujours discutées, ses œuvres du moins ne passent plus inaperçues. Souvent inégal, comme il arrive aux artistes de sentiment, il ne chancelle parfois que pour se relever plus vaillant. Il ose des colorations, quelquefois intenses jusqu'à l'aigreur, qu'il n'abordait pas auparavant. Il est tel morceau de cette époque, comme les n°s 302, 404 du Catalogue, où Chintreuil arrive à la puissance et à l'éclat, sans artifices et sans recourir au jeu des oppositions. C'est la seconde phase de la carrière de Chintreuil : elle comprend les seize années qui s'écoulent à la Tournelle, de 1858 à 1873.

Pendant cette période de production incessante, Chintreuil exécuta avec plus de largeur et de liberté; son pinceau acquit plus de fermeté et plus de souplesse. Il franchit le pas insensible et immense tout à la fois qui sépare « l'étude » du « tableau. » Il résuma, dans des œuvres conçues parfois sur la limite extrême où l'art plastique touche à la poésie pure, la synthèse de ses souvenirs, de ses contemplations et de ses rêveries. Nous ne nions pas que dans cet ordre de conceptions sa curiosité de l'accidentel et de l'imprévu ne le poussât parfois jusqu'à l'étrange; il se heurta plus d'une fois à l'impossible, comme dans « les Champs aux premières clartés » ou dans le « le Soleil boit la rosée du matin. » Mais quand il réussit, il élargit les horizons de la peinture de paysage, et nul ne s'est élevé plus haut qu'il ne l'a fait dans ce magique effet de « Pluie et Soleil » du Salon de 1873, où il se montre dans la plénitude de ses moyens d'expression.

Avant d'arriver à cette manifestation radieuse de son talent, Chintreuil franchit plusieurs étapes que nous devons signaler. « Le Soleil chasse le brouillard, » du Salon de 1864, commence à attirer sur l'auteur l'attention du public et fait faire un grand pas à sa réputation, jusque-là circonscrite dans le monde des arts. La critique toutefois subit comme malgré elle la fascination de ce talent original, et l'on trouve une trace curieuse de ces résistances dans les lignes suivantes, que nous empruntons au compte rendu de Léon Lagrange (*Gazette des Beaux-Arts* du 1er juillet 1864) : « O triomphe de l'impression!... Qu'avons-nous à faire des procédés d'autrefois? Un pré, un soleil, un brouillard? est-ce que cela se dessine? Le pis est que M. Chintreuil réussit à m'intéresser à ces drames; son pré ruisselle d'humidité; mais à travers les brouillards de ce nouveau Wagner, je vois poindre le paysage de l'Avenir. »

Mais « la Journée de printemps par un temps de giboulée, » du Salon de 1866, « la Campagne au temps des avoines, » de 1867, « l'Ondée, » du

Salon de 1868, triomphèrent définitivement de ces préventions obstinées, et montrèrent qu'il était au moins inutile de crier à l'abomination de la désolation. Ce dernier tableau surtout eut un succès incontesté, que confirmèrent encore les tableaux exposés aux Salons suivants jusqu'à cette dernière œuvre, « Pluie et Soleil, » que le peintre eut à grand'peine le temps d'achever et sur laquelle il a exhalé son dernier souffle.

De 1858 à 1873, Chintreuil quitta peu La Tournelle. A partir de 1868, Millemont, où M. Maurice Richard l'accueille en ami, entre dans le rayon de ses excursions. Chaque année il y trouve une cordiale et gracieuse hospitalité et le parc lui offre, comme sujet d'études, ses beaux ombrages et ses masses imposantes. Nous devons à ses séjours à Millemont, « l'Espace, » et le « Bois ensoleillé » du Salon de 1869. Sauf quelques rares excursions à Fécamp (1861), Boulogne (1869 et 1872), Lille, Hazebrouck, (1871), Chintreuil a peu voyagé. Il n'éprouvait pas, comme les paysagistes pittoresques, le besoin de renouveler périodiquement les éléments de ses tableaux. Peintre d'effets et d'impressions, le ciel et le soleil lui prodiguaient, à la Tournelle aussi bien qu'ailleurs, les accidents capricieux de la lumière; et il lui suffisait d'une mare, d'un bouquet d'arbres, ou d'un bout de plaine pour essayer de saisir et de fixer les jeux soudains de l'air, des nuages et du soleil.

Que ce fussent d'ailleurs raisons de santé ou considérations budgétaires, il avait l'humeur volontiers sédentaire; et il était même arrivé à cette étrange fantaisie d'aimer à peindre sur « ses terres, » c'est-à-dire sans sortir des modestes dépendances de la maison qu'il habitait. C'est pour cela que la plaine et le hameau de la Tournelle figurent si fréquemment dans le Catalogue de son œuvre.

Par cela même que Chintreuil était un peintre d'effets, la mer devait exercer sur lui ses mystérieuses fascinations. Aussi bien, quand il s'absentait, la mer était-elle toujours le but de son voyage. L'on trouvera à la fin du Catalogue une série d'études intéressantes où l'artiste a éloquemment exprimé les sensations qu'il a éprouvées devant la grande énigme de l'infini.

Les lignes générales que nous venons de fixer déterminent l'ordre dans lequel nous devons cataloguer les œuvres de Chintreuil. Nous les classerons chronologiquement en quatre séries, sous les titres suivants :

1° Montmartre et environs de Paris, 1846-1849;

2° Igny, Boves, 1850-1857;

3° La Tournelle-Septeuil, 1857-1873;

4° Fécamp, Boulogne, marines.

Chintreuil a laissé peu de dessins. Ce sont tantôt des effets essayés sur papier teinté, avec les oppositions du crayon blanc et du fusain, tantôt des formes cherchées au simple trait. A de rares exceptions près, ils n'avaient à ses yeux que la valeur de notes et de renseignements. Mais par cela même qu'il les faisait pour lui seul, et qu'il ne les croyait pas destinés à sortir de ses cartons, ils ont tout l'intérêt d'une confidence, et l'on y peut surprendre plus sûrement sa pensée intime et l'originalité de son sentiment. Aussi avons-nous cru devoir en porter un certain nombre au Catalogue, à titre de spécimen. Nous signalons notamment des effets de neige admirablement rendus. C'est dans les portefeuilles des dessins de Chintreuil que M. Martial a puisé les motifs qu'il a utilisés avec goût dans l'arrangement des planches de notre album.

Nous nous en sommes tenu, pour un grand nombre d'études, à une simple mention de leur titre. Nous avons eu une raison décisive de procéder ainsi : c'est que nous les avons cataloguées sans les avoir sous les yeux, sur des désignations très-sommaires. Pour toutes celles qui nous ont paru de moindre importance, nous avons obéi à une autre considération. Une œuvre de Chintreuil tire son caractère essentiel du sentiment qu'elle exprime plutôt que du motif qu'elle représente. Il est tel buisson, telle ferme, comme la ferme de Commonvillers ou de Courgent, tel hameau, telle plaine, comme le hameau ou la plaine de La Tournelle, que Chintreuil a pris plus de vingt fois pour prétexte à des impressions différentes. Cela se sent plus que cela ne se décrit. Inventorier par le menu arbres et buissons eût été inutile; analyser des impressions, c'eût été sortir des bornes et de la réserve imposées à un Catalogue. Déjà, peut-être, on nous reprochera certaines admirations déplacées, dira-t-on, dans un travail de cette nature. Si nous devons nous excuser de n'être pas toujours resté de glace devant de belles choses, nous espérons que, — sans parler de notre sincérité, — les liens d'amitié qui nous attachaient personnellement à Chintreuil plaideront pour nous les circonstances atténuantes.

Plusieurs de nos habiles aquafortistes, MM. Martial, Beauverie, Saffray, Ad. Lalauze, Selle, Paul Roux, Taïée, ont bien voulu nous prêter le concours de leur talent. Leurs charmantes eaux-fortes — commentaire éloquent d'un texte incolore — suppléent à l'insuffisance de nos désignations. C'est mieux qu'un catalogue, c'est l'atelier de Chintreuil qui revit là, tout entier, sous nos yeux. Toutes ces planches ont été gravées sur les dessins de Jean Desbrosses. Celui-ci pouvait mieux que personne rendre l'accent de ces œuvres originales qu'il connaît à fond, et il a mis un soin scrupuleux à ce travail, qu'il considérait comme une dette de cœur. Outre les trente planches qui constituent la part très-importante que M. Martial a prise à notre publication, ce dernier a encore gravé deux intéressants portraits de Chintreuil, — les seuls qui existent de lui, — peints par Jean Desbrosses avec tout son talent et toute son âme. Le premier de ces portraits, donné par l'auteur au Musée de Pont-de-Vaux, ville natale de Chintreuil, et daté de 1872, est en quelque sorte le portrait officiel et idéalisé de l'artiste. Le second est d'un caractère tout intime. Chintreuil y est représenté de profil, les traits et le corps amaigris par la souffrance. Affaissé dans un vaste fauteuil, le pauvre artiste consulte un dessin; peut-être forme-t-il quelque nouveau projet de tableau. En le voyant s'accrocher encore à l'avenir avec ce tenace espoir, nous nous attachons à cette pensée consolante : L'art qui a rempli sa vie lui aura du moins caché sa dernière heure.

FRÉDÉRIC HENRIET

342
67
ETUDES
316
268
32
100
278
279
p. 4

CHINTREUIL ET SON ŒUVRE
195

LES CHAMPS, AUX PREMIÈRES CLARTÉS —

CHINTREUIL ET SON ŒUVRE
104
86

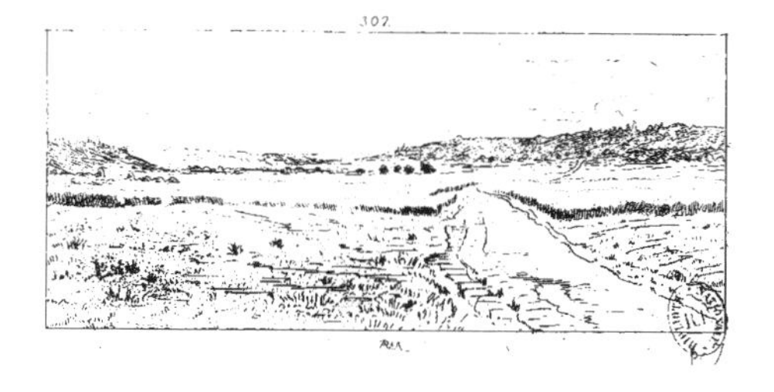
302

CHINTREUIL ET SON ŒUVRE.
91
317
102
265
214
95
192
RM
p.8

LE SOIR

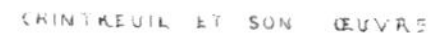

108

127

68

69

249
199
76
436
50
205
164
p. 11

ALLÉE DE POMMIERS

131

215

30

TABLEAUX

45

64

159

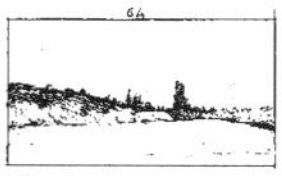

197

20

173

42

p 13

343
135

LE SOLEIL BOIT LA ROSÉE ...

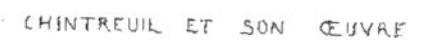
CHINTREUIL ET SON ŒUVRE

MARÉE. BASSE.

355

98

375

312

196

320

A.M.

CHINTREUIL ET SON ŒUVRE
256
223
209
255

LE SOLEIL CHASSE LE BROUILLARD

CHINTREUIL ET SON ŒUVRE
DESSINS

CHINTREUIL ET SON ŒUVRE
p. 23

PLUIE ET SOLEIL

CHINTREUIL ET SON ŒUVRE

428

136

148

125

344

196

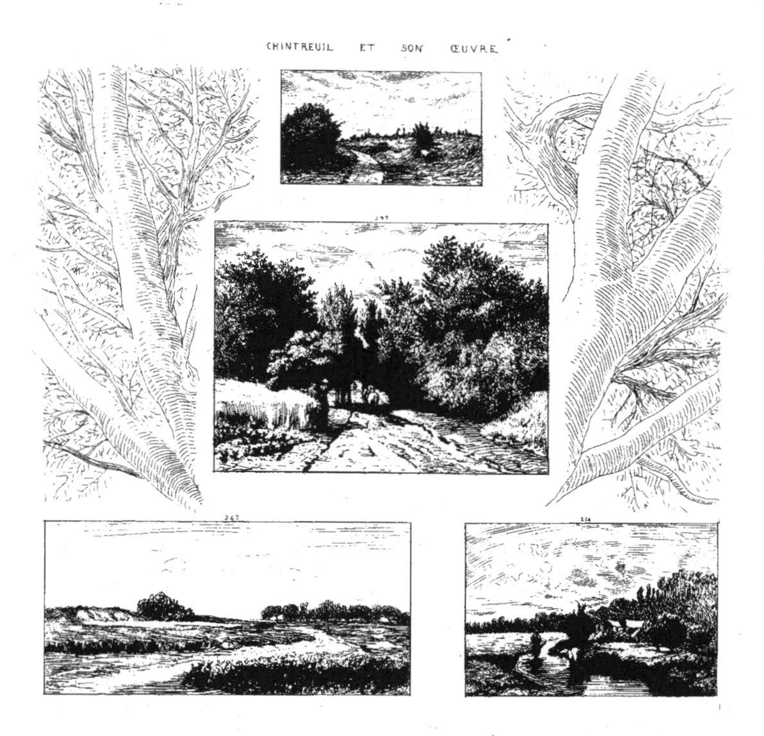

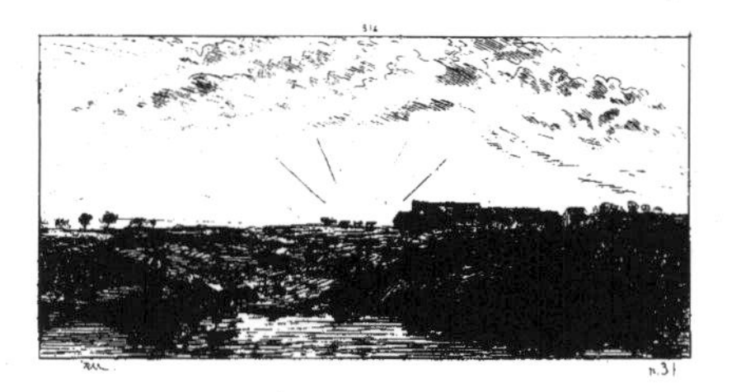

CHINTREUIL ET SON ŒUVRE

DERNIERS RAYONS

Chintreuil & son Œuvre.

392.

406.

199.

Chintreuil et son Oeuvre.

248

170

276

443

pl. 37.

304

384

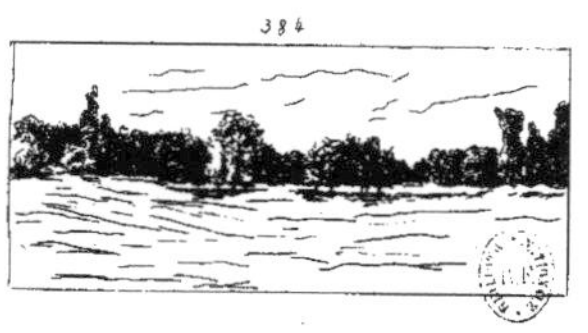

403

280

168

352

p. 32

P. 39

Chintreuil & son Œuvre

301.

Ch. Beauverie Sc.

p. 40

MONTMARTRE

ET

ENVIRONS DE PARIS

1846 — 1850

MONTMARTRE

ET

ENVIRONS DE PARIS

1846-1850

---

1. — Étude de Broussailles au bord d'un ruisseau; Bas-Meudon, 1846.

H. 0^m,23. L. 0^m,31.

2. — Route de Saint-Denis; Montmartre, 1847.

H. 0^m,11. L. 0^m,28.

3. — Les Fours à chaux, à Montmartre.

H. 0^m,22. L. 0^m,31.

4. — Étude de Terrains au bord de la Seine; Bas-Meudon, 1847.

H. 0^m,48. L. 0^m,53.

5. — Étude au bois de Meudon; 1847.

H. 0^m,14. L. 0^m,24.

6. — Paysage. Salon de 1847.

Début de Chintreuil aux Expositions.

6 *bis*. — Étude de Buisson, à Montmartre.

H. $0^m,22$. L. $0^m,28$.

7. — Étude dans le parc Monceau; le matin, 1848.

H. $0^m,24$. L. $0^m,31$.

8. — Étude de Ronces, à Meudon.

H. $0^m,24$. L. $0^m,32$.

9. — Étude dans le parc Monceau; au fond, petit monument de style grec, 1848.

H. $0^m,30$. L. $0^m,22$.

10. — Autre Étude, parc Monceau; effet du matin.

H. $0^m,30$. L, $0^m.23$.

11. — Pommier en fleurs; les fonds de Jouy.

H. $0^m,28$. L. $0^m,35$.

12. — Un jeune Pâtre traverse une rivière à gué avec des vaches; effet de crépuscule.

Salon de 1848.
Appartient à M. le docteur Charvet.

13. — Effet de Crépuscule.

Salon de 1848.
Premier tableau acheté à l'artiste par la direction des Beaux-Arts (ministère de l'Intérieur). Ce tableau figure aujourd'hui au Musée de Niort.

14. — Paysage (sans désignation).

Salon de 1848.

15. — Le Petit Cabaret; groupe de maisons au bord d'un chemin, avec terrains éboulés au premier plan. (Montmartre, 1849.)

Petite étude intéressante à consulter comme point de départ de l'artiste. Chintreuil y révèle déjà ce sentiment ingénu et cette rare sincérité qui lui tenaient lieu de *technique* et font la grâce juvénile des œuvres de sa première manière.

16. — Sentiers sur les Buttes Montmartre.

H. $0^m,24$. L. $0^m,32$.

17. — Étude de Terrains, à Montmartre; effet du soir.

H. $0^m,20$. L. $0^m,32$.

18. — Champerret; effet de neige.

H. $0^m,16$. L. $0^m,24$.

19. — Le Buisson; étude de terrains à Montmartre.

H. $0^m,23$. L. $0^m,32$.

20. — Le petit Dénicheur; effet du matin (Montmartre).

H. $0^m,30$. L. $0^m,25$.

21. — Bouquet d'arbres sur les Buttes Montmartre; 1849.

Panneau.

H. $0^m,35$. L. $0^m,24$.

22. — Étude de terrains à Montmartre; ciel gris orageux; à droite, un talus couvert d'herbes et de broussailles, au bas duquel on voit la porte vermoulue d'une closerie.

H. $0^m,27$. L. $0^m,28$.

23. — Le Trou à l'Herbe, à Montmartre.

H. 0m,23. L. 0m,31.

24. — Le Jeune Homme au chapeau gris ; portrait de M. Jean Desbrosses, 1849.

H. 0m,18. L. 0m,12.

25. — L'Étang de Villebon ; étude.

H. 0m,21. L. 0m,29.

26. — Le Bateau abandonné, étang de Villebon ; brouillard matinal.

H. 0m,18. L. 0m,26.

27. — Étude au bois de Meudon ; effet d'automne.

H. 0m,24. L. 0m,16.

28. — Crépuscule.

Salon de 1849.

29. — La Route de Bicêtre.

Salon de 1849.
Acheté par la Direction des Beaux-Arts (ministère de l'Intérieur).

30. — Esquisse du tableau précédent ; soir de novembre.

H. 0m,24. L. 0m,34.

31. — Effet du matin.

Salon de 1849.

32. — Le Val aux Osiers; gelée blanche.

Fine et intéressante recherche, où Chintreuil témoigne déjà de ce besoin qui l'obséda toute sa vie, de jouer avec la difficulté, de poursuivre l'insaisissable et l'intraduisible.

H. 0^m,16. L. 0^m,28.

32 *bis*. — Fondrière dans le bois de Meudon.

H. 0^m,26. L. 0^m,34.

IGNY

1850 — 1857

BOVES

1856

IGNY

1850 — 1857

BOVES

1856

---

33. — L'Église d'Igny ; effet du matin.

H. 0m,52. L. 0m,67.

33 *bis*. — Maisons et Cour à Jouy ; un mur en pierres sèches occupe le premier plan.

H. 0m,27. L. 0m,35.

34. — Barrage sur la Bièvre, à Jouy ; maison enguirlandée de treilles au bord de l'eau et jardin accédant à la rivière par une petite porte à claire-voie.

H. 0m,27. L. 0m,35.

34 *bis*. — Jeune Chêne ; étude dans les bois de Vauhalland.

H. 0m,23. L. 0m,15.

35. — Sentier dans les bois.

H. 0m,23. L. 0m,15.

36. — Lisière de bois, en automne.

H. 0m,23. L. 0m,15.

37. — Étude dans le bois de Verrières.

H. 0m,15. L. 0m,23.

38. — La Route de Favreuse après la pluie; automne.

H. 0m,23. L. 0m,15.

39. — Saule dans les prés.

H. 0m,23. L. 0m,15.

40. — Étude de Chaumière; Jouy.

H. 0m,27. L. 0m,35.

41. — Clairière de bois; étude de fougères en automne.

H. 0m,15. L. 0m,23

41 *bis*. — Bouquet d'arbres auprès d'un pré planté de pommiers.

H. 0m,28. L. 0m,22

42. — Taillis de Chênes dans les bois de Verrières; effet d'automne.

H. 0m,31. L. 0m,26

43. — La Route de Vauhalland au soleil du matin.

Elle est bordée de pommiers et dominée par un talus à gauche. Au fond, l'église et le clocher de Vauhalland.

H. 0m,23. L. 0m,34.

44. — Champ d'avoine mûre au milieu des prés, à Igny; bouquets et rideaux de peupliers; coteau boisé au fond et chemin au premier plan.

Appartient à M. C.

H. 0m,46. L. 0m,32.

45. — La Prairie de Commonvillers par un temps de pluie.

H. 0m,14. L. 0m,28.

46. — Le Bouleau blanc; bois taillis en automne.

H. 0m,24. L. 0m,16.

47. — Groupe d'arbres au bord d'une route; automne.

H. 0m,23. L. 0m,15.

48. — Les Baliveaux; intérieur de bois.

H. 0m,24. L. 0m,16.

49. — Le Parc à moutons; deux saules au pied d'un coteau, avec un ruisseau au premier plan.

H. 0m,21. L. 0m,32.

50. — Intérieur de bois, à Igny.

H. 0m,24. L. 0m,16.

51. — Le pignon de la ferme de Commonvillers.

H. 0m,23. L. 0m,15.

52. — Le Pommier dit « à la Chouette; » temps gris.

H. 0m,27. L. 0m,23.

52 *bis*. — Lapins au gîte; brouillard de novembre. Tableau exécuté d'après l'étude précédente.

Appartient à M. Allard.

H. 0m,40. L. 0m,32.

53. — La Mare aux Pommiers; effet du soir après l'orage.

Lithographié par La Fage pour le journal l'*Artiste*. 1851.
Salon de 1850-51.
(Musée de Vienne, Isère).

53 *bis*. — Esquisse du tableau précédent.

Appartient à M. Passa.

54. — Paysage; effet du soir.

Salon de 1850-51.
Appartient à M. Preschez.

55. — Champ d'avoine.

Salon de 1850-51.
Appartient à M. J. Claye.

56. — Esquisse du tableau précédent.

Appartient à M. Harpignies.

57. — Le Rêveur.

Un jeune artiste vêtu d'une blouse grise, un foulard jaune autour du cou, se tient à cheval sur une chaise. Ses bras, accoudés sur le dossier, soutiennent sa tête pensive et découragée. Derrière lui, une toile posée sur un chevalet. Portrait de M. J. D.

Salon de 1850-51.

H. 0m,30. L. 0m,26.

58. — Les Mignardises; allée de jardin près d'une maisonnette; effet du matin.

H. 0m,27. L. 0m,40.

59. — Étude de Mignardises, pour le tableau précédent; Igny.

H. 0m,22. L. 0m,32.

60. — L'Escalier du jardin, à Igny.

H. $0^m,24$. L. $0^m,32$.

61. — Carrière abandonnée, à Igny.

H. $0^m,25$. L. $0^m,33$.

62. — Le petit Baigneur.

Il est couché à plat ventre sur la rive gazonnée d'une rivière et se sèche le corps au soleil; gros arbres au fond.

H. $0^m,22$. L. $0^m,23$.

63. — Le Garçon au papillon.

Un jeune baigneur, assis sur le bord d'une rivière, regarde un papillon posé sur sa main. Un bois s'étend le long de l'autre rive; ciel gris.

H. $0^m,27$. L. $0^m,34$.

64. — La Prairie de Commonvillers après la récolte des foins.

H. $0^m,15$. L. $0^m,28$.

65. — Prairie de Vauhalland et lisière de bois; plein midi.

H. $0^m,21$. L. $0^m,35$.

66. — Rochers sous bois; étude dans les Vaux de Cernay.

H. $0^m,25$. L. $0^m,34$.

67. — Pré sur la lisière d'un bois; automne.

H. $0^m,35$. L. $0^m,25$.

68. — Le Pommier au croissant; lever de Lune.

H. $0^m,33$. L. $0^m,26$.

69. — Jeune Femme tricotant dans une cour, près d'un escalier conduisant à un jardin (Igny).

H. 0m,39. L. 0m,26.

70. — Étude dans les bois d'Igny.

H. 0m,26. L. 0m,40.

71. — Sentier au bord d'un petit vallon ombreux.

H. 0m,26. L. 0m,35.

72. — La Souche de frêne à trois têtes (Val d'Enfer).

H. 0m,27. L. 0m,34.

73. — Étude de Châtaignier; matin d'automne par un temps gris. (Igny).

Appartient à M. Amédée Jullien.

H. 0m,27. L. 0m,41.

74. — Les Prés de Commonvillers; effet du matin

H. 0m,26. L. 0m,41.

75. — Chemin dans les bois; effet de soleil.

H. 0m,26. L. 0m,35.

76. — Chemin dans les bois, en octobre.

Au bord d'une allée de peupliers aux feuilles jaunies, un berger fait paître quelques moutons.

H. 0m,24. L. 0m,16.

77. — Étude de bouleau en automne.

H. 0m,24. L. 0m,16.

78. — Taillis de jeunes chênes; automne.

H. 0m,24. L. 0m,16.

79. — Le Bois aux terriers.

H. $0^{m},24$. L. $0^{m},16$.

80. — Étude de troncs d'arbres.

H. $0^{m},25$. L. $0^{m},21$.

81. — Autre étude; même sujet.

H. $0^{m},31$. L. $0^{m},22$.

82. — Étang de Cernay.

H. $0^{m},25$. L. $0^{m},34$.

83. — Étude dite « au Léopard » (Val d'Enfer.)

Terrains en savart mamelonnés; au second plan, bois et prairies; au fond, coteau boisé; ciel pluvieux; nature sauvage et désolée.

H. $0^{m},21$. L. $0^{m},42$.

84. — Chaumières à Limon, environs de Vauhalland. 1851.

Les toits de ces rustiques habitations, couverts de mousses, de lichens, et de végétations variées, sont précieusement étudiés. Au premier plan, des cultures potagères, quelques jeunes arbres à fruits; et tout à l'entour de cette paisible retraite où l'on aimerait à vivre en philosophe — pendant vingt-quatre heures! — des verdures tendres, veloutées et printanières. Modelé délicat, sentiment frais et juvénil.

H. $0^{m},26$. L. $0^{m},34$.

85. — Après la pluie; effet du soir; 1852.

(Commande du ministère de l'Intérieur.)
Musée de Reims.

85 *bis*. — Le pont de Vauhalland; étude du tableau précédent.

Arbres dépouillés au second plan à droite; à gauche sur le chemin, un homme chargé de bois mort; premiers plans d'une exécution soignée; ciel nuageux et sombre, éclairé seulement à l'horizon.

H. $0^{m},24$. L. $0^{m},35$.

86. — Une Vallée.

Ce paysage, noyé dans les lumineuses vapeurs du matin, avec son ciel limpide et rosé, ses verdures tendres et ses bleus lointains, plonge le spectateur amoureux des champs dans tout un monde de fraîches sensations.

Un chevrier et son troupeau animent le tableau sans distraire le regard.

Salon de 1852.

Appartient à M. Maurice Richard.

H. 0^{m},73. L. 0^{m},90.

87. — La Maison abandonnée; étude à Limon, ayant servi à l'exécution du tableau précédent.

Un groupe de maisonnettes profilent leurs pignons larges et bas sur un ciel d'un bleu fin; un pommier dont les branches s'abaissent en berceau vers le sol, coupe les lignes sèches des toits. Terrains verdoyants et veloutés; blés et herbes folles qui blondissent; petit coin solitaire rendu avec un charme très-pénétrant.

Appartient à M. Frédéric Henriet.

H. 0^{m},25. L. 0^{m},33

88. — La Côte.

Un chemin escarpé et creusé d'ornières mène sur un plateau, où deux arbres se détachent en vigueur sur un ciel lumineux et argenté. Terrains amoureusement modelés.

H. 0^{m},21. L. 0^{m},27.

89. — Bruine (Val d'Enfer); 1851.

Un terrain bossué, escarpé, coupé par un chemin à peine visible sous la maigre végétation qui l'a envahi, monte jusqu'à un plateau; quelques arbres accentuent de points noirs cet horizon pauvre, sur lequel pèse un ciel bas et ballonné.

Cette petite étude caractérise bien la première manière de Chintreuil. A voir ce paysage sans « motif » et sans intérêt, dans l'acception vulgaire du mot, — un ciel pluvieux sur un terrain aride, — un œil inattentif ne soupçonnerait pas la volonté tenace, l'obstination singulière que l'auteur mettait à ces délicates virtuosités, si longtemps incomprises et dédaignées.

H. 0^{m},21. L. 0^{m},35.

90. — Les fonds de Massy; vue prise des hauteurs de Verrières; clairière de bois avec chevreuils; la lune se lève à l'horizon.

Appartient à M. C.

H. 0m,32. L. 0m,40.

91. — Le Chemin du Val d'Enfer; gelée blanche et brouillard.

Des arbres abattus, aux troncs couverts de givre, gisent à droite du chemin.

H. 0m,23. L. 0m,22.

92. — Les Rogations, à Igny.

Une procession paraît à l'extrémité de la rue du village; grand mur à droite, au-dessus duquel on aperçoit le clocher et le coteau d'Igny dans la brume; ciel pluvieux. 1853.

H. 0m,27. L. 0m,40.

93. — Bouquet de jeunes Chênes.

H. 0m,30. L. 0m,39.

94. — Troupeau sur un chemin gazonné. (Igny).

Appartient à M. J. Claye.

H. 0m,46. L. 0m,32

95. — Le Chemin vert; étude pour le tableau précédent.

H. 0m,40. L. 0m,27.

96. — Prairie coupée de rideaux de peupliers; Vauhalland.

H. 0m,19. L. 0m,35.

97. — Lever de lune; le Brûly.

H. 0m,23. L. 0m,22.

98. — Le Rû.

Il est presque à sec, mais le bouquet d'arbres sous lequel il s'est fait un passage le conserve frais et verdoyant. Belle étude, d'une coloration blonde et suave.

H. 0m,42. L. 0m,34.

99. — Le Val d'Enfer.

Panneau.

H. 0^{m},12. L. 0^{m},34.

100. — La Ferme et les prés du Val d'Enfer.

Sur les coteaux violacés du fond s'enlèvent, en note claire, les files de peupliers jaunis qui avoisinent la ferme; jour triste de novembre; ciel nébuleux; temps de pluie.

H. 0^{m},20. L. 0^{m},42.

101. — Bouquet de peupliers au bord d'un pré; effet d'automne.

H. 0^{m},22. L. 0^{m},42.

102. — Chemin sablonneux dans un bois; à droite, bouleaux et bruyères.

H. 0^{m},35. L. 0^{m},26.

103. — Chemin dans les bois de Verrières.

H. 0^{m},16. L. 0^{m},24.

104. — Pluie du matin.

H. 0^{m},23½. L. 0^{m},15½.

105. — Sur Souche de chênes.

H. 0^{m},24. L. 0^{m},16.

106. — Souche de châtaignier dépouillé de ses feuilles.

H. 0^{m},16. L. 0^{m},24.

107. — Le Ruisseau des Rigoles, à Igny.

Un ruisseau aux transparences de cristal coule paisiblement au milieu d'un bois ombreux et touffu; sensation de fraîcheur délicieuse.

Appartient à M. C.

H. 0^{m},32. L. 0^{m},22.

108. — Les Bruyères.

Au milieu d'un taillis de chênes, une clairière tapissée de bruyères roses, de fougères, d'herbes sèches, offre une retraite pleine de sécurité aux daims et aux chevreuils. La lumière vive et diffuse du milieu du jour égaie la feuillée. Le soleil est haut, les ombres sont courtes. Le peintre a parcouru toute la gamme du vert, depuis les tons les plus doux jusqu'aux plus intenses; et, — qualité rare chez les paysagistes qui osent le vert, — ce tableau, peint depuis plus de vingt ans, a conservé toute la fraîcheur et la limpidité du premier jour. Il donne raison à la sobre et judicieuse palette du peintre, et répond en même temps, par son fini, aux détracteurs qui ont longtemps accusé Chintreuil de ne pas exécuter.

Salon de 1853 et Exposition universelle de 1867.

Appartient à M. Carpentier.

109. — Novembre.

Salon de 1853.

Appartient à M. Michel Poisat.

H. 0m,90. L. 0m,75.

110. — Soir d'automne.

Chintreuil appelait ce tableau : « *le Crépuscule à la toile d'araignée* », parce que Th. Gautier, dans son compte rendu du salon, avait comparé à une toile d'araignée le délicat réseau de branchages que dessinaient les arbres effeuillés sur les lueurs roses du ciel.

Salon de 1853.

Gravé à l'eau-forte par M. Lehnert.

Appartient à M. Luquet.

H. 0m,46. L. 0m,55.

111. — Étude pour le tableau précédent.

Appartient à M. Legouvé.

H. 0m,38. L. 0m,32.

112. — Côte de Vauhalland; brouillard et soleil matinals.

Appartient à M. Broc.

H. 0m,35. L. 0m,25.

113. — Soir d'automne.

Appartient à M. Broc.

H. 0m,24. L. 0m,16.

114. — Le Chemin aux peupliers; 1852.

Une brume grise et glaciale épaissit l'atmosphère; quelques dernières feuilles d'or pâle se détachent de la cime des peupliers et tournoient, en voletant, avant d'atteindre le sol. Les ornières du chemin, remplies d'eau, indiquent que la saison des pluies est arrivée. Toutes les tristesses de novembre sont résumées dans cette petite toile d'un accent si mélancolique.

Appartient à M. Amédée Jullien.

H. 0m,35. L. 0m,26.

115. — Matinée d'automne; route bordée d'arbres enveloppés dans un léger brouillard transparent et nacré; 1852.

H. 0m,24. L. 0m,16.

116. — Feuilles d'automne.

Deux rangées de peupliers à demi dépouillés s'élancent le long d'un chemin jonché de feuilles mortes.

H. 0m,24. L. 0m,16.

117. — Clairière dans les bois d'Igny.

Terrain semé de bruyères fleuries; à droite, un arbre ébranché près duquel un pâtre garde des chèvres; effet de brouillard très-fin.

Appartient à M. Edmond Texier.

H. 0m,40. L. 0m,32.

118. — Les fonds d'Igny, au Printemps; coupe de bois.

Appartient à M. Luquet.

H. 0m,64. L. 0m,81.

119. — Le Chemin des Bruyères; chêne et lisière de bois au bord d'un pré; soir d'automne; ciel gris avec un filet d'or à l'horizon (Igny).

Appartient à M. Mareschal.

H. 0m,24. L. 0m,16.

120. — L'Arbre dépouillé. Sortie du bois d'Igny; bourrées et fagots à droite.

Appartient à M. Mareschal.

H. 0m,24. L. 0m,16.

121. — Les Fonds d'Igny vus du plateau de Favreuse; effet du matin; à gauche, un jeune pâtre adossé contre un arbre.

H. 0m,38. L. 0m,40.

122. — Carrière dans les bois d'Igny; étude.

H. 0m,41. L. 0m,32.

123. — Vaches au pré; Igny; très-fine étude d'après nature.

Appartient à Mme Desbrochers.

H. 0m,20. L. 0m,32.

124. — Bords de rivière; soleil et brouillard matinals.

Appartient à M. Leneveux.

H. 0m,25. L. 0m,38.

125. — La Campagne, le matin.

Des arbres sur une lisière de bois forment une sorte d'arcade naturelle sous laquelle on aperçoit les fonds d'Igny dans la lumière nacrée du matin; en premier plan, terrains de meulière, couverts de ronces et de bruyères; un petit pâtre, debout, boit près d'un groupe de deux figures assises.

Cette composition, avec son évidente recherche du style, nous paraît celle des œuvres de Chintreuil qui rappelle le plus directement Corot. C'est comme l'inévitable tribut d'imitation que tout élève paye à son maître. Mais si Chintreuil vénéra, admira constamment Corot, il sut se faire auprès de lui une place indépendante, et c'est bien à tort, selon nous, qu'on l'a quelquefois accusé de l'avoir pastiché.

Exposition universelle de 1855.

Appartient à Mme Charras.

H. 1m,30. L. 0m,80.

126. — La Rigole aux chardons; Igny.

H. $0^m,32$. L. $0^m,69$.

127. — La Sortie du bois des Rigoles; automne.

A travers les feuilles roussies et les branches entrecroisées de jeunes arbres formant berceau, l'œil découvre les prés et les coteaux de Vauhalland baignés d'une lumière chaude et ambrée.

H. $0^m,34$. L. $0^m,27$.

128. — La Prairie de Vauhalland.

Appartient à M. Champfleury.

H. $0^m,32$. L. $0^m,46$.

129. — Vers le soir.

Un sentier descend à travers champs dans un petit vallon planté de pommiers, que gagne déjà l'ombre du soir. Ciel gris et couvert avec une bande lumineuse à l'horizon.

Cette étude, d'un sentiment si expressif et si doux, faisait l'admiration d'Eugène Delacroix; car, bien que son tempérament de peintre, sa poétique et son idéal fussent absolument différents, — peut-être même à cause de cela, — Delacroix appréciait particulièrement Chintreuil, chez qui il reconnaissait une réelle originalité.

Appartient à M. Ehrler.

H. $0^m,32$. L. $0^m,46$.

130. — La Ferme de Commonvillers.

H. $0^m,22$. L. $0^m,28$.

131. — Le Chemin de la Ferme de Commonvillers.

H. $0^m,23$. L. $0^m,35$.

132. — Le Pont des Rigoles.

H. $0^m,25$. L. $0^m,41$.

133. — La Mare de Viltain; ciel bleu.

H. $0^m,49$. L. $0^m,60$.

134. — Rideau de Peupliers dans les prés, à Igny; vaches au pâturage; matin d'automne avec soleil.

Appartient à M. Ducasse.

H. 0^m,35. L. 0^m,72.

135 — Même sujet ; étude du tableau précédent.

Prairie d'un vert tendre et velouté, entourée d'une ceinture de peupliers. Les dernières feuilles se détachent des arbres et miroitent en l'air avant de joncher le pré ; ciel bleu, et doux soleil de l'été de la Saint-Martin.

H. 0^m,35. L. 0^m,72.

136. — Carrière de pierre meulière, à Igny.

H. 0^m,32. L. 0^m,46.

137. — Sentier dans le bois dit « le Brûly. »

Jeunes pousses après le recépage; çà et là quelques maigres baliveaux; une femme, au moment de charger un fagot de bois mort, regarde un émouchet qui tournoie dans le ciel bleu.

Envoyé au Salon de 1874, en vertu de l'article 3 du règlement, aux termes duquel peuvent être présentés les ouvrages d'un artiste décédé, quand le décès est postérieur à l'ouverture du dernier Salon.

H. 0^m,51. L. 0^m,66.

138. — Bord de rivière; deux nacelles amarrées près d'un bouquet d'arbres.

H. 0^m,32. L. 0^m,46.

139. — Bruyères et Genêts, dans les bois d'Igny; terrains sablonneux finement étudiés.

H. 0^m,30. L. 0^m,40.

140. — Voyageur buvant au bord d'un ruisseau; ciel gris moucheté de petits nuages argentins.

H. 0^m,27. L. 0^m,40.

141. — Les Deux Pommiers; dernières fleurs; vallée d'Igny.

H. 0^m,52. L. 0^m,66.

142. — Étude dans le bois de Verrières.

H. 0^m,50. L. 0^m,67.

143. — Coteau d'Igny.

H. 0^m,52. L. 0^m,68.

144. — La Passerelle dans les prés, à Igny; effet du matin.

H. 0^m,24. L. 0^m,35.

145. — Le Soleil dans le bois; Igny.

Appartient à M. Mareschal.

H. 0^m,43. L. 0^m,59.

146. — Les Terrains fleuris; étude sur le plateau de Vauhalland.

Bordé à gauche par un bois clos de treillages; un chemin dessine ses méandres sur un terrain sablonneux tout émaillé de bruyères roses, de chardons, de pâquerettes et de boutons d'or; au fond le coteau d'Orsay. Étude d'une exécution précieuse et d'une grande franchise de lumière.

Appartient à M. Luquet.

H. 0^m,27. L. 0^m,40.

147. — Le Pont de Favreuse; effet d'automne (Igny).

H. 0^m,26. L. 0^m,34.

148. — Lever de lune; Igny.

Appartient à M. Faure (de Lille).

H. 0^m,37. L. 0^m,46.

149. — Effet de nuit.

H. 0^m,26. L. 0^m,40.

150. — Le Val aux Merles; Igny.

Au milieu de tertres incultes, un chemin, encaissé dans des escarpements sablonneux, s'enfonce dans un vallon et reparaît sur la côte opposée. Celle-ci est plantée de rares arbres et couronnée de bois; impression de solitude et de tristesse.

H. 0^m,31. L. 0^m,45.

151. — La Mare aux Lentilles; Igny.

Nappe d'eau transparente, dont la fraîcheur est protégée contre l'ardeur du soleil par les saules et les touffes de bois qui l'entourent.

H. 0^m,32. L. 0^m,41.

152. — Moutons sur une route dans un bois taillis; brouillard d'automne.

H. 0^m,27. L. 0^m,41.

153. — Très-fine étude pour le tableau précédent; temps de pluie en automne.

H. 0^m,23. L. 0^m,34.

154. — L'Allée de la ferme.

« Deux files de pommiers bordent le chemin. A droite et à gauche, le pré. Au fond, une ferme close de murs et ceinte d'ormes et de peupliers. Le ciel est d'un bleu lapis, chargé à l'horizon de lourdes vapeurs. Le pré fraîchement coupé éclate de verdure et petille de lumière. L'herbe courte et drue du chemin, — pâture habituelle du troupeau qui passe, — est d'un ton plus doux. Il est midi. Le soleil poudroie dans une atmosphère étouffante et torride ». Biographie de Chintreuil, par Frédéric Henriet : journal l'*Artiste,* n° du 24 octobre 1858.

Appartient à M. J. Claye.

155. — Les Fonds de Verrières, pris du bois d'Igny.

Appartient à M. Mareschal.

H. 0^m,32. L. 0^m,40.

156. — Bouquet d'aubépine en fleur (Igny).

Appartient à M. Mareschal.

H. 0^m,32. L. 0^m,41.

157. — Les Fonds de Vauhalland; effet du matin.

Appartient à M. Pelouze.

H. 0^m,27. L. 0^m,40.

158. — Clair de lune; esquisse (Igny).

H. 0^m,54. L. 0^m,73.

159. — Le Paysagiste dans les bois; étude dans la vallée de Bièvre, en automne.

Appartient à M. C.

H. 0^m,37. L. 0^m,46.

160. — Les Rigoles d'Igny; pommiers en fleur; 1856.

Cette étude, d'un sentiment exquis, servit à Chintreuil pour l'exécution de son tableau du Salon de 1866 : « la Campagne par un temps de giboulée. »

Appartient à M. A. Cassagne.

H. 0^m,35. L. 0^m,72.

161. — Un Berger, assis près d'un ruisseau bordé de genêts en fleur, fait paître ses moutons.

Appartient à M. Klein.

H. 0^m,26. L. 0^m,41.

162. — Sentier dans les prés de Verrières; effet de soleil couchant, au mois de mai.

H. 0^m,24. L. 0^m,33.

163. — La Mare de Viltain; étude en plein soleil par un jour d'été.

164. — Le Chemin de Favreuse.

Un chemin vert, encadré de ronces et d'aubépines, traverse un élégant bouquet de peupliers et va se perdre à l'horizon; une femme à âne anime le paysage, qu'éclaire un beau soleil d'été.

Appartient à M. Levé.

H. 0^m,46. L. 0^m,42.

165. — L'Étoile du soir; sentier dans une clairière de bois; Igny.

Appartient à M. Léopold Desbrosses.

H. 0m,30. L. 0m,15.

166. — Fraîcheurs du matin dans les bois, au printemps; Igny.

Appartient à M. Faure (de Lille).

H. 0m,34. L. 0m,55.

167. — Abreuvoir; matinée du printemps; Igny.

Appartient à M. Faure (de Lille).

H. 0m,35. L. 0m,43.

168. — Les Prés de Palaiseau.

Appartient à M. le dr Aimé Martin.

H. 0m,23. L. 0m,43.

169. — Souche de châtaignier dans une clairière des bois d'Igny; des chevreuils s'ébattent au milieu des fougères et des bruyères. Brouillard de novembre.

Appartient à M. Leneveux.

H. 0m,30. L 0m,35.

169 *bis*. — Le Presbytère et l'Église de Vauhalland; effet du soir.

Appartient à M. A. Jullien.

H. 0m,21. L. 0m,42.

170. — La Rivière du Paraclet au soleil couchant; environs de Boves (Somme).

Appartient à M. le dr Aimé Martin.

H. 0m,31. L. 0m,44.

171. — La Terrasse du château de Boves; étude.

H. 0m,24. L. 0m,43.

172. — Le Verger du château de Boves; étude.

Appartient à M. Luquet.

H. 0m,28. L. 0m,39.

173. — Les Ruines de Boves.

Des pans de murs, derniers débris d'un château féodal, couronnent un monticule. Les pommiers ont poussé sur les anciens glacis du château; les fossés forment un chemin creux qu'ombragent les arbres de la contrescape; au fond, masses de verdure. Ciel d'un gris fin.

Appartient à M. Mareschal.

H. 0m,30. L. 0m,45.

174. — Tourbière, à Boves.

Appartient à M. Luquet.

H. 0m,32. L. 0m,41.

175. — Sureaux en fleur; crépuscule (Boves).

Appartient à M. Ehrler.

H. 0m,47. L. 0m,31.

176. — Étude de ciel au soleil couchant; plaine aux environs d'Amiens. 1856.

H. 0m,18. L. 0m,40.

177. — La Rivière la Noye; étude en Picardie; soleil couché.

Appartient à M. Villaret.

H. 0m,30. L. 0m,40.

178. — Le Pont du Paraclet; Boves.

H. 0m,32. L. 0m,40.

179. — Fossés des ruines de Boves.

H. 0^m,31. L. 0^m,41.

180. — Après l'orage; souvenir de Picardie.

H. 0^m,23. L. 0^m,52.

181. — La Maison abandonnée; effet d'orage (Boves).

Appartient à M. Broc.

H. 0^m,25. L. 0^m,35.

182. — La Noye, rivière sous les saules (Boves).

Appartient à M. Mareschal.

H. 0^m,31. L. $0,^m43$.

183. — La Sortie du bois; souvenir de Picardie.

Salon de 1857.
Musée de Bourg (Ain).

184. — La Mort d'Ophélie; paysage composé; effet de soleil du matin. 1857.

Appartient à M. Gaidan (de Nîmes).

H. 0^m,35. L. 0^m,72.

185. — Le Bois de Cagny; souvenir de Boves.

Le disque du soleil descend dans les brumes de l'horizon.
Appartient à M. Edmond Texier.

H. 0^m,22 L. 0^m,28.

LA

TOURNELLE-SEPTEUIL

1857 — 1873

LA

TOURNELLE-SEPTEUIL

1857-1873

186. — Ruisseau sous les saules; effet du soleil couchant.

H. 0m,25. L. 0m,39.

187. — Saulée.

H. 0m,31. L. 0m,48.

188. — Le vieux Saule; étude.

H. 0m,32. L. 0m,40.

189. — La Roche aux fées, à la Tournelle, effet du soir.

H. 0m,32. L. 0m,40.

190. — La Plaine aux corbeaux; juin 1857.

Des champs couverts d'abondantes moissons qui ondoient; la nature féconde qui vit, qui travaille, qui palpite; de bonnes senteurs champêtres qu'on respire; un vaste ciel clair qui répand sur tout cela sa pure lumière et sa vivifiante chaleur; — est-ce ou n'est-ce pas un tableau? — Peu importe! C'est mieux que cela : c'est la nature elle-même, et le peintre, ému, n'a pas cru pouvoir mieux faire que de la rendre comme il la voyait, sans conventions ni artifices.

Appartient à M. Frédéric Henriet.

H. 0m,35. L. 0m,72.

191. — La Mare aux biches.

Salon de 1859.

Musée de Mende (Lozère).

192. — Une mare sur la lisière d'un bois ; saison d'été ; esquisse du tableau précédent.

H. 0m,33. L. 0m,65.

193. — Soleil couché.

Salon de 1859.

Appartient à M. Grincour, de la Nièvre.

194. — Esquisse du précédent (la Tournelle).

H. 0m,31. L. 0m,41.

195. — La Pluie ; clairière de bois.

« De gros nuages ballonnés se heurtent dans le ciel, l'orage gronde, la pluie tombe à torrents, le vent siffle dans les taillis, les chevreuils s'effarent ; mille ruisseaux improvisés courent en les couchant dans les hautes herbes. Il semble que le peintre, en déchaînant la tempête sur sa toile, ait voulu y dramatiser l'expression de ses souffrances morales... »

Biographie de Chintreuil, par Frédéric Henriet. Journal l'*Artiste,* numéro du 24 octobre 1858.

Salon de 1859 et Exposition universelle de 1867.

H. 0m,54. L. 0m,73.

196. — Esquisse du tableau précédent.

Appartient à M. Ducasse.

H. 0m,25. L. 0m,35.

197. — La Marnière de Mulcent; effet du soir.

Des terrains marneux, peints largement, dans une fine gamme grise, occupent la première zone d'une plaine bornée par un petit coteau bas. Quelques arbres lointains, peupliers et saules, coupent la ligne d'horizon ou relèvent en vigueur les blondes colorations du tableau. Le soleil du soir, caché par un nuage, éclaire le ciel de reflets dorés.

Appartient à M. C. Daubigny.

H. $0^m,47$. L. $0^m,10$.

198. — La Mare de Mulcent; effet du matin.

H. $0^m,35$. L. $0^m,72$.

199. — La Coupe des sainfoins; scène de fenaison.

Sur la lisière d'un bois, un faucheur coupe la récolte, pendant qu'un autre se repose à l'ombre d'un bouquet d'arbres; ciel bleu.

Médaille de bronze de la Société des Amis des Arts, de Troyes. 1860.

Appartient à M. Piquet.

H. $0^m,53$. L. $0^m,69$.

200. — Roches et buissons.

Ils encaissent un chemin creux et soutiennent les tertres supérieurs.

H. $0^m,53$. L. $0^m,68$.

201. — Roches et terrains éboulés; ciel gris.

H. $0^m,53$. L. $0^m,66$.

202. — Le Gué sous bois; étude.

H. $0^m,51$. L. $0^m,75$.

203. — Saules au milieu des prés; vers le soir.

Appartient à M. Luquet.

H. $0^m,39$. L. $0^m,31$.

204. — Ruisseau dans les prés.

Appartient à M. Luquet.

H. 0m,38. L. 0m,31.

205. — La Côte de la Tournelle ; chemin creux dans les bois.

Un chemin pierreux descend et s'enfonce dans un bois ; à droite du chemin, un groupe de trembles et de chênes récemment ébranchés, que frappent les derniers rayons d'un soleil d'été ; ces arbres, aux feuillages agités par le vent du soir, se détachent en clair sur le ciel d'un bleu intense ; à gauche, un enfant coupe une branche à un buisson.

Médaille d'argent à l'Exposition de Genève, 1861.

Appartient à M. Prevost.

H. 0m,52. L. 0m,68.

206. — L'Étang ; effet du soir.

H. 0m,38. L. 0m,68.

207. — La Route aux peupliers.

Au milieu de massifs de peupliers, un chemin, contournant des prés et des champs cultivés, mène à Montchauvet : le clocher du village émerge du milieu des pommiers plantés en amphithéâtre sur le coteau.

H. 0m,63. L. 0m,44.

208. — Le Bois des Billeux ; Septeuil.

H. 0m,52. L. 0m,68.

209. — Le Logis de la folle ; ruines sur la lisière d'un bois.

H. 0m,30. L. 0m,33.

210. — Le Pont du moulin, à la Tournelle.

H. 0m,29. L. 0m,41.

211. — Prairie entourée de bois ; à droite, un sentier bordé de jeunes pommiers chargés de fruits ; soleil éclatant et ciel bleu.

H. 0m,35. L. 0m,72.

212. — Une Fondrière au milieu des bois; Courgent, 1859.

« On est au printemps; le jour pointe; l'eau est morne, et les terrains qui s'escarpent en montant vers la lisière du fourré baignent dans cette pénombre vaporeuse qui précède le premier rayon. A l'arrière-plan, des silhouettes de grands arbres encore décharnés tranchent sur la lisière du ciel. Une cigogne assiste, du haut de sa patte, à ce réveil silencieux de la nature. »

E. de B. de Lépinois : l'*Art dans la rue* et l'*Art au salon*. Dentu, 1859.

Appartient à Mme Tremblay.

H. 0m,53. L. 0m,68.

213. — Le Ruisseau du Paity; effet du soir.

Appartient à M. J. Claye.

214. — Même sujet; étude du tableau précédent.

H. 0m,41. L. 0m,25.

215. — Bois et prés d'Orvilliers; effet du soleil du matin à travers le brouillard, saison d'automne.

Appartient à M. le dr Hameau.

H. 0m,30. L. 0m,34.

216. — Dessous de pommiers; étude.

H. 0m,32. L. 0 ,40.

217. — Vers le soir.

Cette dénomination, relevée sur le livret officiel, manque d'exactitude. Car n'était le ruban d'or qui brille encore à l'horizon, dernier adieu du soleil couché, la nuit serait complète. Le vent s'élève et tord les arbres grêles. Un berger et son troupeau, enveloppés dans un nuage de poussière, se hâtent vers la ferme ou le parc.

Salon de 1861.

H. 0m,60. L. 1m,00.

218. — La Rentrée du troupeau; effet du soir par un temps orageux. Première pensée du tableau précédent.

H. 0m,26. L. 0m,33.

219. — Le Champ de pommes de terre; la Tournelle.

Des paysans travaillent au buttage des pommes de terre ; vigoureuse étude, fermement modelée, avec un ciel mouvementé d'un grand éclat de lumière.

Salon de 1861.

H. 0m,35. L. 0m,72.

220. — L'Aube après une nuit d'orage.

« Les saules plantés à gauche entre-choquent leurs branches fouettées par un reste de bourrasque ; la rivière clapote, une barque abandonnée s'en va à l'aventure, un cadavre a été rejeté sur la rive, et le ciel qui n'est pas encore calmé s'éclaire des premières lueurs du matin. »

Olivier Merson. *La Peinture en France*. Dentu, 1861.

Salon de 1861.

Appartient à M. Lagarde.

H. 0m,90. L. 1m,30.

221. — Genêts en fleur.

Des touffes de genêts tout pimpants de fleurs d'or parsèment une lande déserte qui se noie au loin dans les vapeurs du couchant. Le disque empourpré du soleil va disparaître à l'horizon. Peinture d'une grande harmonie dans ses colorations vives et osées.

Salon de 1861.

Appartient à M. Perrotin.

H. 0m,35. L. 0m,72.

222. — Porte d'un jardin clos de murs en ruines, au bord d'un bois.

H. 0m,32. L. 0m,42.

223. — Les Ruines; « la Féerie », à la Tournelle.

Masure en ruines au milieu des bois; on aperçoit près de la baie ouverte le cintre de la porte d'une cave, en partie comblée par les éboulements.

H. 0m,32. L. 0m,42.

224. — La Fenaison.

Appartient à Mlle Harant.

H. 0m,60. L. 1m,00.

225. — Sureaux et prés fleuris, baignés de soleil; Lumineuse esquisse du tableau précédent; ombres fines et transparentes.

H. 0m,34. L. 0m,56.

226. — Le Ruisseau au cresson, et la passerelle de la Seigneurie.

Appartient à M. Luquet.

H. 0m,53. L. 0m,69.

227. — Champs de sainfoin; un petit paysan se repose au bord d'un chemin.

Appartient à M. Amédée Jullien.

H. 0m,32. L. 0m,40.

228. — Pré bordé de peupliers; étude par un temps gris; la Tournelle.

Appartient à M. Ducasse.

H. 0m,21. L. 0m,26.

229. — Le Bois aux Roches; rayon de soleil à travers la pluie.

H. 0m,43. L. 0m,63.

230. — Le Pont du moulin de la Planche, à Courgent.

H. 0m,41. L. 0m,66.

231. — Le Ruisseau du moulin de la Planche.

Il sort d'un bouquet de bois, aulnes, saules et peupliers, et coule dans la prairie, ne révélant son cours que par la fraîcheur qu'il communique sur son passage à l'herbe plus abondante et plus verte. Saison d'été.

Appartient à M. Luquet.

H. 0m,69. L. 0m,42.

232. — L'Étang; esquisse.

H. 0m,53. L. 0m,69.

233. — Chemin débouchant sur la lisière d'un bois; effet du soir.

H. 0m,30. L. 0m,38.

234. — La Pêche au filet; effet de soleil couchant, 1862.

Appartient à M. Gauthier.

H. 0m,32. L. 0m,45.

235. — La Fin d'un beau jour d'été; étude en plaine au soleil couchant.

Une route circule au milieu de champs couverts de prés artificiels. Une atmosphère chaude et dorée enveloppe l'horizon, où se profile une ligne de pommiers; dans le ciel, à gauche, le croissant de la lune.

H. 0m,34. L. 0m,67.

236. — Terres en jachère; ciel d'orage.

Appartient à M. Luquet.

H. 0m,28. L. 0m,66

237. — Les Champs aux premières clartés.

« Essayer de reproduire le combat du jour et de la nuit, la lutte des clartés de l'aube et des clartés astrales mêlant leurs vagues lueurs sur l'étendue d'une plaine accidentée d'arbres et de moissons : tel est le but, peut-être hors de portée, poursuivi par l'artiste. La lumière, si confuse et complexe, est juste sur les terrains. L'impression du matin, les ténèbres qui se font visibles, sont saisies dans leur vérité. Le frisson de la nature est interprété, traduit, fixé. » Ernest Chesneau : *l'Art et les Artistes modernes en France et en Angleterre.* Paris, Didier, 1864.

Salon annexe, dit « des refusés », 1863.

H. 1m,00. L. 2m,15.

238. — Champs de Sainfoin.

Salon annexe, dit « des refusés », 1863.

Acquis au salon des refusés par M. J. Claye.

239. — Novembre.

« Dans cette toile, Chintreuil a voulu rendre cet effet des brouillards d'automne qui, suspendus aux branches dès le matin, s'épaississent et s'embrunissent vers trois ou quatre heures après midi, de telle sorte qu'on ne distingue plus ni formes ni couleurs à dix pas devant soi. »

Ernest Chesneau : *l'Art et les Artistes modernes.*

Salon annexe, dit « des refusés ». 1863.

240. — Étude de Rochers; clairière de bois.

H. 0^m,30. L 0^m,62.

241. — Le Têtard de frêne; effet du soir; la Tournelle.

H. 0^m,44. L. 0^m,53.

242. — Le Petit baigneur; ruisseau de Courgent; effet du soir.

Appartient à M. J. Claye.

H. 0^m,72. L. 0^m,35.

243. — Le Ruisseau aux écrevisses; Courgent.

H. 0^m,32. L. 0^m,41.

244. — Les Ruines; le soleil couchant les caresse d'un dernier rayon d'or.

Salon de 1864.

Musée de Mâcon.

245. — Lever de lune sur des terrains en friche, esquisse du tableau précédent.

H. 0^m,35. L. 0^m,72.

246. — Le soleil chasse le brouillard; souvenir d'Igny.

Le soleil du matin éclate sur une prairie humide de rosée et lutte contre le brouillard qui enveloppe encore les fonds du tableau, où le clocher d'Igny apparaît au milieu des arbres; un jeune garçon fait pâturer ses vaches dans le pré; à droite et à gauche saules, peupliers et buissons.

Les vers suivants, du poëte belge Antoine Clesse, cités par M. Champfleury dans les *Souvenirs et Portraits de jeunesse*, donnent la sensation même du tableau :

Le ciel, sur la plaine éclaircie
Rayonne, et rend les prés fumants.
Le givre fond et la prairie
Est couverte de diamants.

Salon de 1864.

Appartient à Mme Desbrochers.

247. — Rayon de soleil sur un champ de sainfoin; la Tournelle.

Appartient à M. Amédée Jullien.

H. 0m,35. L. 0m,72.

248. — Le Petit pêcheur.

Appartient à M. Amédée Jullien.

H. 0m,26. L. 0m,35.

249. — Coup de soleil pendant l'orage; la Tournelle.

H. 0m,32. L. 0m,41.

250. — Sous les bois; esquisse.

H. 0m,40. L. 0m,32.

251. — Lisière de bois; automne.

H. 0m,25. L. 0m,35.

252. — Le Ruisseau des Gredeux; la Tournelle.

H. 0m,39. L. 0m,32.

253. — Étude de roches ; la Tournelle.

H. 0m,20. L. 0m,35.

254. — Effets de soleil à travers le brouillard ; automne ; la Tournelle.

Appartient à M. Didier (de Valenciennes).

H. 0m,26. L. 0m,34.

255. — Les Friches de Carnette.

Un berger couché garde ses moutons; terrains émaillés de thym et de serpolet; au fond, les prés de Dammartin, avec leurs files de peupliers, se perdent dans les vapeurs d'un ciel brumeux; un rayon de soleil éclaire les premiers plans.

Appartient à M. Allard.

H. 0m,60. L. 1m,00.

256. — La Moisson.

Un champ de blé en coupe; à gauche, un buisson à l'ombre duquel se reposent des faucheurs; à l'arrière-plan, les maisons de la Tournelle; ciel bleu et forte sensation de chaleur.

Appartient à M. Allard.

H. 0m,35. L. 0m,72.

257. — Les Fonds de Rosay ; la Tournelle.

H. 0m,31. L. 0m,40.

258. — La Bruine.

« Devant l'œil du spectateur s'étend une prairie qui se termine à droite par un coteau boisé et à gauche par un aqueduc en ruines. La bruine commence à tomber, presque insensible au premier plan et de plus en plus épaisse à mesure que le regard s'enfonce à l'horizon. Au loin on aperçoit des nuées blanches. »

Félix Deriège. *Siècle* du 24 mai 1865.

Salon de 1865.

Musée de Saint-Malo.

H. 1m,40. L. 1m,60.

259. — Les Vapeurs du soir.

Des vapeurs blanchâtres montent doucement des eaux et des terrains, noyant le paysage dans de mystérieuses indécisions. Seule, la ligne de l'horizon s'affirme nettement sur le foyer lumineux du ciel, et précise la silhouette d'un village surmonté d'un clocher. Au premier plan, un homme fait abreuver ses chevaux dans une rivière bordée; à droite, de saules étêtés. Tout le mouvement se concentre dans le ciel. Il est bien composé et s'accorde parfaitement avec les lignes sévères du paysage, dont le caractère est « l'horizontalité ». L'impression de calme et de silence est complète. Il semble que les dernières vibrations de l'Angelus, qui sonnait au clocher lointain, viennent de s'éteindre il y a un instant.

Salon de 1865.

H. 1m,00. L. 2m,15.

260. — Savart sur la lisière d'un champ de blé; à droite, un plant de choux, étude.

H. 0m,36. L. 0m,71.

261. — Solitude.

Une mare au milieu de terrains incultes aux douces déclivités. Un arbre s'élève à l'horizon. Au premier plan, des roseaux. L'aube égaie de tons roses la zône inférieure du ciel.

Donné par Chintreuil au Musée de Pont-de-Vaux, sa ville natale, en 1865.

262. — Esquisse du tableau précédent.

H. 0m,34. L. 0m,69.

263. — Un coin d'étang; effet du matin.

Appartient à M. Mareschal.

H. 0m,33. L. 0m,46.

264. — Lever de lune; la Tournelle.

Appartient à M. Mareschal.

H. 0m,22. L. 0m,33.

265. — Petit paysan coupant du sainfoin; la Tournelle.

H. 0m,28. L. 0m,41.

266. — Le Hameau des Gredeux; terre labourée au premier plan, effet de soleil.

H. 0m,68. L. 0m,53.

267. — Clairière de bois; soir d'automne.

H. 0m,32. L. 0m,45.

268. — Arbres dépouillés; automne.

Appartient à M. le dr Leudet.

H. 0m,38. L. 0m,32.

269. — La Remise aux poules; coin de verger aux abords d'une ferme avec hangar et palissades.

H. 0m,32. L. 0m,41.

270. — Fontaine près d'un bouquet de saules; soleil couchant.

H. 0m,51. L. 0m,64.

271. — Le soleil boit la rosée du matin.

Le soleil levant pompe et absorbe toutes les brumes qui montent du sol. En même temps les vapeurs du ciel se dissipent en légers flocons roses. Le zénith seul ne participe pas encore de cette irradiation générale; une lisière de bois à gauche; à droite, quelques arbres écimés, au pied desquels coule un ruisseau qui s'étale sur le premier plan du tableau encore voilé d'ombre. Daims et flamant.

Salon de 1866.

H. 2m,40. L. 1m,60.

272. — La Campagne au printemps, par un temps de giboulée. Souvenir d'Igny.

Un ligne fuyante de pommiers fleuris se perd dans une brume molle et fluide qu'un rayon de soleil essaye de percer.

Salon de 1866.

Musée de Rhodez.

H. 0m,10. L. 2m,15.

273. — La Métairie; Courgent.

H. 0m,32. L. 0m,40.

274. — Le Gué, effet du soir; la Tournelle.

Appartient à M. Broc.

H. 0m,60. L. 1m,00.

275. — La Fontaine aux biches; coup de soleil sous la feuillée.

Appartient à M. Broc.

H. 0m,46. L. 0m,32.

276. — Le Pêcheur; effet du soir.

Appartient à M. Luquet.

H. 0m,37. L. 0m,41.

277. — Chemin dans les sainfoins; effet du matin.

H. 0m,36. L. 0m,65.

278. — La Butte de Montchauvet; terrains en friche.

Des terrains pierreux et arides, à peine couverts d'une végétation pauvre, forment un monticule dont le sommet occupe le milieu du tableau. Quelques buissons donnent la note vigoureuse au milieu des harmonies grises des terrains et du ciel.

H. 0m,42. L. 0m,67.

279. — Les ruines de Montchauvet.

Un chemin pratiqué dans les savarts, entre deux rangées d'arbres d'un élégant caractère, traverse un vallon silencieux et mène à une colline boisée d'où émergent les ruines. Ce paysage, bien planté sur des terrains solides, joint à un bel agencement de lignes la vérité du ton et la finesse du modelé.

Appartient à M. C. Daubigny.

H. 0m,42. L. 0m,65.

280. — Idylle; fin du jour.

Appartient à M. Faure (de Lille).

H. 0m,40. L. 0m,26.

281. — Chaume; août, milieu du jour.

Appartient à M. Faure (de Lille).

H. 0m,35. L. 0m,72.

282. — La Plaine au temps des avoines; lever de lune.

Cette belle page, d'une coloration blonde et suave, d'une belle simplicité de lignes, d'un dessin ferme et savant, valut la médaille à l'artiste, qui luttait depuis si longtemps. Cette œuvre, comme tous les autres ouvrages recompensés au Salon, fut transportée, à la clôture de celui-ci, dans les galeries de l'Exposition universelle du Champ de Mars.

Salon de 1867.

Musée de Rochefort.

Gravé à l'eau-forte par Martial dans *Paris en 1867*. Cadart, éditeur.

H. 1m,40. L. 2m,25.

283. — Esquisse et première pensée du tableau précédent.

H. 0m,35. L. 0m,72.

284. — Le Labour; même sujet et mêmes dimensions.

Appartient à M. Corot.

285. — L'Automne.

Même motif que le tableau catalogué sous le n° 231; un paysan chargé de bois mort traverse la prairie.

Salon de 1867.

Tableau médaillé et transporté, à la clôture du Salon, à l'Exposition universelle.

Appartient à la Société des Amis des Arts de Reims.

H. 0m,90. L. 1m,30.

286. — Genêts en fleur au bord d'un chemin, par un temps d'orage; la Tournelle.

Appartient à M. Luquet.

H. 0m,42. L. 0m,66.

287. — Le Ruisseau de la Seigneurie, à Courgent.

H. 0m,52. L. 0m,66.

288. — Le Pré de la Seigneurie.

H. 0m,32. L. 0m,40.

289. — Après la moisson.

Appartient à M. Amédée Jullien.

H. 0m,35. L. 0m,72.

290. — Le Verger; étude en septembre.

H. 0m,38. L. 0m,68.

291. — Le Bois de pins et les fonds de Garancières.

H. 0m,38. L. 0m,72.

292. — La Maison Jean, à la Tournelle; saison d'automne.

H. 0m,41 L. 0m,69.

293. — Champ de sainfoin en coupe.

Une partie de la pièce est en javelles et l'autre partie sur pied; à gauche, de buissons.

Cette étude est petillante de lumière et d'une grande intensité de coloration.

Appartient à M. Rafalovich.

H. 0m,25. L. 0m,68.

294. — Route dans les bois; effet du matin.

Appartient à Mme Desbrochers.

H. 0m,46. L. 0m,37.

295. — La Maison du pêcheur; deux bateaux amarrés à la rive; soleil couché; la Tournelle.

Appartient à Mme Desbrochers.

H. 0m,32. L. 0m,40.

296. — Soir orageux d'été; la Tournelle.

Exposition de Roubaix, 1867. Vendu à la Société des Amis des Arts.

H. 0m,35. L. 0m,72.

297. — L'Attelée de midi.

Un homme à cheval regagne le village; à gauche, un pommier dans un champ de blé vert; à droite, ronces, buissons et bouquet de bois formant berceau au-dessus du chemin avec les arbres de gauche. 1866.

Appartient à M. Mareschal.

H. 0m,54. L. 0m,68.

298. — Saulée au bord d'une rivière.

Un homme amarre un bateau à la rive. Ciel gris orageux, lumineux à l'horizon; coup de soleil sur la prairie, à l'arrière-plan.

Appartient à M. Ad. Desbrochers.

H. 0m,30. L. 0m,40.

299. — Le Lever de l'aurore après une nuit d'orage.

« Au premier plan, une eau tumultueuse, obscure, ballotte et choque contre la rive une barque disloquée. Des collines s'élèvent derrière la berge du fleuve, baignées d'ombre, noires, opaques, et, par une espèce de déchirure, laissent apercevoir un ciel d'un gris funèbre que rayent les estafilades rouges d'une aurore qui semble se lever dans le sang. »

Th. Gautier. *Moniteur universel,* 7 juin 1868.

Salon de 1868.

Musée de Troyes.

H. 0m,90. L. 1m,30.

300. — Esquisse du précédent.

Appartient à M. Papeleu.

H. 0m,43. L. 0m,64.

301. — L'Ondée.

« L'ondée représente un vaste champ sur lequel les nuages versent leur pluie et le soleil ses rayons : ici, des taches d'ombre, là des plaques de lumière : le sourire à côté des pleurs. Mais cela ne durera pas, et le beau temps plus frais, plus radieux, va reprendre le dessus. »

Th. Gauthier. *Moniteur universel* du 7 juin 1868.

« Ce tableau, disait M. Paul de Saint-Victor dans son feuilleton de la *Liberté,* du 21 juin, est comme un coup de théâtre céleste, hardiment saisi et vivement rendu. »

L'Ondée fut en effet le premier succès incontesté de Chintreuil. Jamais il n'avait été mieux inspiré du reste que dans cette œuvre d'un sentiment si juste et si original. L'admiration fut générale. Ce tableau fixa définitivement la sympathique attention du public sur l'artiste, et consacra sa réputation.

Salon de 1868.

Appartient à M. Paul Casimir-Périer.

L'Ondée a été reproduite dans « l'Autographe au Salon de 1868 », d'après un dessin de Chintreuil, et gravée par M. Martial dans son album du salon.

H. 0m,95. L. 1m,15.

302. — Les Champs en été; étude pour le tableau précédent.

Un chemin serpente dans une riche plaine cultivée. Un soleil radieux étincelle sur les moissons d'or; excellent morceau de peinture, d'un dessin ferme et d'une puissante lumière.

Appartient à M. Klein.

H. 0m,35. L. 0m,72.

303. — Autre étude de plaine; même saison que dans l'étude précédente; même effet et mêmes qualités.

H. $0^m,35$. L. $0^m,72$.

304. — Les Trois faneuses; juin, la Tournelle.

Appartient à M. Faure (de Lille).

H. $0^m,35$. L. $0^m,72$.

305. — Étude du tableau précédent.

H. $0^m,34$. L. $0^m,70$.

306. — La Ferme de Courgent; juin; soleil de l'après-midi.

Sur un terrain dont la déclivité s'accuse de gauche à droite, au pied d'un coteau boisé, au milieu des prés, des pommiers et des peupliers, s'élèvent les bâtiments de la ferme; au premier plan, bandes longitudinales d'avoines, d'orge et de blé.

H. $0^m,29$. L. $0^m,47$.

307. — Le Chemin du Bois; la Tournelle.

On suit sa trace blanche au milieu de terrains accidentés et pierreux d'un vert grisâtre; puis il disparaît dans le bois, qui découpe sa silhouette nerveuse sur un ciel clair et argentin.

H. $0^m,49$. L. $0^m,65$.

308. — Tranchée dans les prés; la Tournelle.

H. $0^m,43$. L. $0^m,66$.

309. — Le Clocher de Montchauvet.

Pour premiers plans des tertres bossués, traversés par un ruisseau; sorte de pâtis communal irrégulièrement planté de peupliers dont les ombres portées glissent sur les terrains éclairés. Au fond les toits et le clocher de Montchauvet.

H. $0^m,67$. L. $0^m,48$.

310. — Le Pont de la Féerie; la Tournelle.

H. $0^m,33$. L. $0^m,32$.

311. — Le Chemin de la Mare-aux-Clercs ; chemin couvert, plein soleil.

Reproduit par le procédé Gillot, d'après un dessin à la plume de Chintreuil, dans le journal *les Beaux Arts,* année 1868.

Appartient à M. Warnier (de Reims).

H. 0m,53. L. 0m,68.

312. — La Ruine aux flamants.

Appartient à M. Ad. Desbrochers.

H. 0m,60. L. 1m,00.

313. — Le Pont de la Ruine de Binanville; soleil coloré du soir; esquisse ayant fourni les éléments de la composition du tableau précédent.

H. 0m,32. L. 0m,41.

314. — Les derniers Feux du soleil couchant en été; la Tournelle. 1868.

Appartient à M. Faure (de Lille).

H. 0m,50. L. 1m,00.

315. — La Mare aux Pommiers; la Tournelle.

Appartient à M. Émile Fourchy.

H. 0m,35. L. 0m,72.

316. — Le bosquet aux Chevreuils.

Clairière au milieu d'un bois taillis; exécution soignée, qui permet de reconnaître les différentes essences d'arbres : chênes, noisetiers, nerpruns; à gauche, un pommier au branchage nerveux; terrains lumineux et solides; ciel clair de beau temps.

Salon de 1874.

H. 0m,64. L. 0m,68.

317. — Étude de pommier en fleurs; Septeuil.

Appartient à Mme Léonie Desbrochers.

H. 0m,31. L. 0m,38.

318. — Pommier fleuri ; étude inachevée.

H. 0m,38. L. 0m,31.

319. — Pommiers fleuris dans les prés, au bord d'un bois.

Appartient à M. Luquet.

H. 0^m,44. L. 0^m,68.

320. — Le Hameau des Gredeux; au fond le coteau de Courgent; terre labourée au premier plan, effet de soleil du soir.

H. 0^m,32. L. 0^m,41.

321. — Bouquet d'arbres au bord d'un ruisseau; fillette couchée au pied d'un arbre.

H. 0^m,35. L. 0^m,25.

322. — Chêne étêté sur le plateau d'un bois; au fond, coteau boisé; effet du matin.

H. 0^m,27. L. 0^m,34.

323. — La Ferme de Courgent.

Un pré s'étend sur le premier plan du tableau; à droite une route en contre-bas passe devant les bâtiments de la ferme, que dominent les toits pointus des pigeonniers; au second plan, arbres et coteau dans la bruine; ciel gris et pluvieux.

H. 0^m,48. L. 0^m,65.

324. — Le Rû de Carnette.

Un ravin pierreux et desséché au milieu de terrains escarpés et de broussailles; au sommet du ravin, plateau en friche, masse d'arbres lointains et horizon très-élevé dans la toile.

H. 0^m,38. L. 0^m,65.

325. — Le Chemin sous les murs de l'ancien parc de Septeuil.

H. 0^m,41. L. 0^m,32.

326. — Le Bois de Courgent et le Coteau de Boinvillers.

Temps gris et léger brouillard d'octobre.

H. 0^m,35. L. 0^m,22.

327. — Bois de Bouleaux; sentier dans les bruyères; ciel bleu; saison d'été.

H. $0^m,25$. L. $0^m,68$.

328. — La route de Corentin; à gauche, lisière de bois et genets en fleurs; noyers et arbres à droite, temps gris.

H. $0^m,38$. L. $0^m,65$.

329. — La sortie du Bois-aux-Roches, dans le vallon d'Orgerus; effet du soir.

H. $0^m,29$. L. $0^m,35$.

330. — Le Hameau de la Tournelle, au crépuscule.

H. $0^m,20$. L. $0^m,34$.

331. — Sous le pont de Montchauvet; ruisseau sous bois.

H. $0^m,31$. L. $0^m,30$.

332. — Les prés de Rosay; pommiers et lisière de bois; ciel gris.

H. $0^m,32$. L. $0^m,55$.

333. — Le Chemin de Gambais.

Trèfles et sainfoins en fleurs; deux commères devisent sur le chemin; soleil du matin.

H. $0^m,40$. L. $0^m,80$.

334. — Les Chaumes; lever de lune; esquisse.

H. $0^m,35$. L. $0^m,98$.

335. — Le Chemin des Billeux; une femme et un enfant chargés de fagots reviennent du bois.

H. $0^m,46$. L. $0^m,55$.

336. — Le gros Prunier; étude vers le soir dans le jardin de la Tournelle.

H. 0m,52. L. 0m,68.

337. — Le Coteau de Courgent; étude en été.

H. 0m,35. L. 0m,65.

338. — Le Vallon de Montchauvet; effet de soleil du matin.

H. 0m,41. L. 0m,65.

339. — L'entrée du hameau de la Tournelle.

H. 0m,34. L. 0m,70.

340. — Les Sainfoins.

Une pièce de sainfoin se développe sur toute la longueur du tableau; la partie antérieure, déjà fauchée, est couchée sur le sillon en javelles bleuâtres; l'autre portion sur pied rejouit l'œil de ses tons incarnats; plus loin le hameau de la Tournelle, dans la brume translucide d'une belle journée de juin; ciel aux nuages légers, fins et lumineux.

H. 0m,35. L. 0m,68.

341. — La Coupe de foins par un temps de pluie.

H. 0m,32. L. 0m,65.

342. — Une Allée dans le parc de Millemont.

Coup de soleil à travers le feuillage; élégant enchevêtrement de branches.
Appartient à M. Amédée Jullien.

H. 0m,33. L. 0m,47.

343. — Les arbres aux Lierres; étude dans le parc de Millemont.

H. 0m,74. L. 0m,53.

344. — Autre étude dans le parc de Millemont.

H. 0m,34. L. 0m,53.

345. — Le Pont du moulin de Lépierre.

Jeté sur la petite rivière de la Vaucouleurs qui occupe le milieu de tableau, il met en communication les champs de gauche avec le moulin, dont on aperçoit, à droite, les hangars encombrés de pièces de bois, roues, charrette.

346. — Pousses d'avril; premier soleil de printemps dans la prairie.

H. $0^m,53$. L. $0^m,68$.

347. — Genêts fleuris et herbes sèches; étude au printemps.

H. $0^m,53$. L. $0^m,68$.

348. — Rivière dans les saules; au soleil couchant.

Appartient à M. Passa.

H. $0^m,50$. L. $1^m,00$.

349. — La Maison des lavandières; effet du soir.

Appartient à M. Passa.

H. $0^m,35$. L. $0^m,72$.

350. — Le Bois-aux-Roches.

Un cavalier au galop sur un chemin; terrains lumineux s'enlevant en clair sur un ciel monté de ton.

Appartient à M. de Bullemont.

H. $0^m,35$. L. $0^m,72$.

351. — Effet de neige au soleil couchant.

Appartient à M. Paul Casimir-Périer.

H. $0^m,37$. L. $0^m,46$.

352. — La Vanne; effet du soir.

Appartient à M. Rafalovich.

H. $0^m,41$. L. $0^m,33$.

53. — Verger; étude au printemps.

H. 0^{m},32. L. 0^{m},41.

354. — La Route des Trembles, dans le bois aux Roches. 1869.

Ciel gris et feuillage roux d'automne, étude d'une grande finesse de touche et d'une belle qualité de ton.

H. 0^{m},32. L. 0^{m},41.

355. — Le Ruisseau; effet du soir.

H. 0^{m},25. L. 0^{m},34.

356. — Un coin de la pièce d'eau dite «l'étang Turc,» à Millemont.

Des arbrisseaux projettent leurs branches au-dessus des eaux; effet du matin.

Appartient à M. Albert de la Fizelière.

H. 0^{m},39. L. 0^{m},32.

357. — La route de l'étang; Millemont.

Appartient à Mlle Harant.

H. 0^{m},45. L. 0^{m},32.

358. — Une Mare au pied d'un bouquet de saules, dans la plaine de Courgent.

Le soleil éclaire les premier et arrière-plans du tableau, et la mare est dans l'ombre.

H. 0^{m},43. L. 0^{m},64.

359. — Genêts et herbes sèches; esquisse.

H. 0^{m},43. L. 0^{m},64.

360. — Étude sous bois; Millemont.

H. 0^{m},44. L. 0^{m},68.

361. — La vallée de Courgent, au soleil couchant.

H. 0^{m},45. L. 0^{m},70.

362. — L'espace.

Le peintre nous transporte sur un plateau élevé, d'où il déroule à nos yeux une suite indéfinie de côteaux, de vallées, de bois et de villages. « C'est une vaste plaine semée de cultures diverses et inondée de lumière. L'œil en suit aisément les plans successifs et arrive à l'extrême horizon sans être lassé du voyage. »

Paul Mantz; *Gazette des Beaux-Arts*, juin 1869.

Ce tableau a figuré en 1873 à l'Exposition universelle de Vienne, où il a été envoyé d'office par la commission du Jury, et valut une médaille à Chintreuil. C'était la dernière récompense que celui-ci devait recevoir. Encore n'eut-il pas la joie d'en apprendre la nouvelle; la liste des artistes récompensés ne fut en effet connue en France que postérieurement au 7 août, date du décès de Chintreuil.

Salon de 1869.

Musée du Luxembourg.

H. 0^m,10. L. 2^m,25.

363. — Vue panoramique prise dans les hauteurs du bois de Millemont; étude qui servit à l'exécution du tableau précédent.

H. 0^m,20. L. 1^m,03.

364. — Le Bois ensoleillé.

Salon de 1869.

Appartient à Mme de Coster.

H. 2^m,25. L. 1^m,40.

365. — Étude dans les bois de Millemont, ayant servi à l'exécution du tableau précédent.

H. 0^m,66. L. 0^m,53.

366. — Le Ruisseau aux genêts.

Appartient à M. Villaret.

H. 0^m,54. L. 0^m,69.

367. — Genêts en fleurs; étude pour le tableau précédent.

H. 0^m,54. L. 0^m,69.

368. — La Plaine par un jour de pluie en octobre.

Le sol est nu ; au milieu des champs deux pommiers près d'une meule; plus loin on devine d'autres meules et les maisons de la Tournelle dans les blancheurs nacrées de la pluie.

H. $0^{m},35$. L. $0^{m},72$.

369. — Route dans les blés en été; esquisse.

H. $0^{m},35$. L. $0^{m},72$.

370. — Bords de rivière.

Un baigneur va se mettre à l'eau; crépuscule.

Appartient à M. Lemoine-Montigny.

H. $0^{m},27$. L. $0^{m},41$.

371. — Sentier dans un bois de peupliers; effet du soir.

H. $0^{m},68$. L. $0^{m},52$.

372. — Chemin sur le plateau de Carnette; effet de crépuscule.

H. $0^{m},35$. L. $0^{m},72$.

373. — Chemin sous bois; soleil du soir.

H. $0^{m},21$. L. $0^{m},41$.

374. — Paysage au soleil couché.

Une rivière coule dans une vallée bordée d'arbres à gauche, et dominée à droite par une colline surmontée d'une ruine.

H. $0^{m},39$. L. $0^{m},60$.

375. — La côte de Dammartin.

Terrain en friche, dont la pente descend de gauche à droite, en dessinant sa fine silhouette sur un ciel gris.

H. $0^{m},24$. L. $0^{m},38$.

376. — La plaine après le labour d'octobre ; la Tournelle, effet du soir.

Bouquet de bois à droite et à gauche ; au second plan, les maisons de la Tournelle dans les arbres ; ciel gris, froid, avec des bandes lumineuses et pourprées à l'horizon.

H. 0m,57. L. 1m,08.

377. — Soleil levant dans la brume ; animaux gardés ; brouillard lumineux.

Appartient à M. Lemoine-Montigny.

H. 0m,33. L. 0m,41.

378. — La côte de Montchauvet ; effet d'automne.

Appartient à M. Rafalovich.

H. 0m,92. L. 0m,74.

379. — Les quatre arbres ; souvenir de Picardie.

Une femme tire sa vache qui boit sur le bord d'une rivière.
Appartient à M. Paul Casimir-Périer.

H. 0m,40. L. 0m,26.

380. — Le Batelier ; rivière sous bois.

H. 0m,27. L. 0m,40.

381. — Un pré dans les fonds de la Tournelle ; vapeurs argentées du matin.

Appartient à M. Vernier-Blanquart (de Lille).

H. 0m,35. L. 0m,71.

382. — Le Soir.

Une route fuyante ; un voyageur à cheval. La lune se lève.
Appartient à M. Lemoine-Montigny.

H. 0m,43. L. 0m,60.

383. — La Pêche ; effet du soir.

H. 0m,38. L. 0m,30.

384. — La Pelouse et les massifs du parc de Millemont par une matinée d'été.

Appartient à M. Faure (de Lille).

H. 0m,35. L. 0m,71.

385. — Les fonds de Tacoignières; étude.

H. 0m,22. L. 0m,41.

386. — La Mare de Carnette; esquisse au soleil couchant.

H. 0m,25. L. 0m,36.

387. — Route sur la plaine de Flacourt; effet du matin.

H. 0m,21. L. 0m,41.

388. — Les Sources de la Vaucouleurs; saulée.

H. 0m,42. L. 0m,66.

389. — La Mare Cibeau; rayon de soleil à travers le feuillage.

H. 0m,40. L. 0m,60.

390. — Le Pont et le chemin des Groux.

H. 0m,41. L. 0m,67

391. — Le Saule cassé; étude.

H. 0m,53. L. 0m,68.

392. — Prés sur la lisière du parc de Millemont.

Avec les fonds de Thoiry, soleil du matin au mois de juin; verdure éclatante.

Appartient à M. Hoschedé.

H. 0m,35. L. 0m,72.

393. — La Plaine de Mulcent au temps de la fenaison.

Faneuses au premier plan ; plus loin, voiture chargée de foin ; ciel mouvementé avec percée de soleil, 1870.

Appartient à M. Hoschedé.

H. 0^m,50. L. 1^m,00.

394. — Intérieur de parc ; Millemont.

H. 0^m,35. L. 0^m,72.

395. — Étude dans les bois de Millemont ; lieu dit : « le Minot d'or. »

H. 0^m,53. L. 0^m,72.

396. — Soleil couchant en automne.

Appartient à M. Lemoine-Montigny.

H. 0^m.28. L. 0^m,41.

397. — Mare avec animaux.

Appartient à M. Lemoine-Montigny.

H. 0^m,27. L. 0^m,41.

398. — La Ronde du Fermier.

Un fermier à cheval fait le tour de ses champs avant de rentrer à la ferme ; glaneuses dans la plaine ; ciel du soir.

H. 0^m,35. L.

399. — La mare « la Féerie. »

A droite, groupe de chênes à l'entrée d'un bois ; une femme se penche sur l'eau pour cueillir des nénuphars, une jeune fille fait des bouquets dans la prairie ; coup de soleil dans le pré à gauche.

Appartient à M. Mareschal.

H. 0^m,41. L. 0^m,32.

400. — La Route du château de Millemont.

Beau jour d'été; ciel bleu chargé à l'horizon des légères et chaudes vapeurs du midi.

H. 0^m,35. L. 0^m,72.

401. — L'Étang de Millemont; effet du soir.

Appartient à M. Gros.

H. 0^m,31. L. 0^m,41.

402. — Le Verger fleuri, par une belle journée de printemps.

Des enfants grimpent aux branches d'un pommier. 1870.

Appartient à M. Hoschedé.

H. 0^m,60. L. 1^m,00.

403. — L'Étang de Millemont.

A gauche de la toile, un groupe de saules; au fond, un bois qui se reflète en vigueur sur les eaux, où scintillent des paillettes d'argent. Au premier plan, une femme fait boire ses vaches; terrains plantureux, roseaux et feuilles d'eau; soleil éblouissant et vive sensation de chaleur.

Diplôme d'honneur à l'exposition universelle de Lyon, 1872.

Appartient à M. Villaret.

404. — L'Étang de Millemont.

Étude très-colorée, très-lumineuse et très-vibrante du tableau précédent.

Appartient à M. Luquet.

H. 0^m,55. L. 0^m,73.

405. — Le Chemin des Tournelles.

Terrain pierreux bordé à gauche de pièces de terre cultivées et plantées de pommiers; à droite d'un massif d'arbres; ciel bleu. Septembre 1870.

H. 0^m,35. L. 0^m,72.

406. — Le Garde-chasse; même sujet que le précédent.

Sur le chemin, un garde-chasse, fusil sous le bras, accompagné de trois chiens.

Appartient à M. Luquet.

H. 0^m,50. L. 1^m,00.

407. — La Lune.

Dans cette page capitale, comme dans la plupart des ouvrages de Chintreuil, on sent la préoccupation qui l'obséda constamment de peindre l'impalpable et l'invisible, l'étendue, « l'espace » enfin, comme il aimait à dire. La lune se lève dans un ciel immense au-dessus d'une immense plaine ; à droite, une habitation rustique. La lumière qui tremblotte derrière la vitre et la fumée qui monte paisiblement au ciel indiquent les soins familiers auxquels vaque la ménagère à l'intérieur. Cet écho de la vie réelle fait heureusement opposition aux poésies du soir. Au premier plan, un berger et son troupeau attardés.

Salon de 1870.

Musée d'Amiens.

H. 1m,40. L. 2m,25.

408. — Derniers rayons de soleil sur un champ de sainfoin.

Salon de 1870.

Appartient à M. Fassin (de Reims).

H. 0m,90. L. 1m,30.

409. — Un Grain en plaine.

Appartient à M. Corot.

H. 0m,35. L. 0m,72.

410. — Le Ruisseau de Courgent ; étude pendant l'hiver de 1870.

Appartient à M. Corot.

H. 0m,72. L. 0m,35.

411. — L'Entrée du Village de Courgent ; effet de neige. 1870.

Masures à gauche du chemin ; arbres, buissons et champs coupés de haies à droite. Ciel moucheté et embrasé des feux du couchant. Sur le chemin, une femme portant un enfant sur son dos et un homme tenant un panier à la main.

Appartient à M. Allard.

H. 0m,60. L. 1m,00.

412. — La Route des Groux ; la Tournelle.

La route est bordée de pommiers ; fonds soleilleux ; premier plan dans l'ombre.

H. 0m,40. L. 0m,58.

413. — La Plaine de Courgent au soleil couchant; effet de neige; bande de corbeaux.

H. 0m,31. L. 0m,52.

414. — La Maison de Chintreuil à la Tournelle.

Premiers bourgeons et premiers rayons d'avril; 1871.

H. 0m,41. L. 0m,40.

415. — Pommiers et genêts en fleur.

Une allée de pommiers vue de face fuit devant le regard du spectateur par un magique effet de perspective aérienne et se perd dans les vapeurs de l'horizon.

Salon de 1872.

Appartient à M. Viardot.

H. 1m,00. L. 2m,15.

416. — Allée de pommiers en fleur.

Esquisse du tableau précédent.

Appartient à M. Mareschal.

H. 0m,57. L. 1m,07.

417. — Les Herbes sèches, fin d'août; la Tournelle. 1872.

Sentier dans une clairière de bois, sur un plateau d'où l'on découvre les fonds de Mantes; toute la flore des champs est réunie là, souple et ondoyante : carottes et oseille sauvages, coquelicots, fenouil, millepertuis, graminées aux longs pétioles, folioles légères, flexibles épillets. Quelques arbres fluets poussent au milieu des herbes folles; coloration blonde et fine, lumière franche, atmosphère limpide; exécution d'une grande souplesse.

Appartient à M. Mareschal.

H. 0m,60. L. 1m,0

418. — Soleil couché; des femmes cueillent des fleurs sur le bord d'une rivière.

Appartient à M. Rafalovich.

H. 0m,38. L. 0m,45.

419. — La Voiture embourbée; effet de neige au soleil couchant.

Au second plan, les maisons et le clocher de Courgent enveloppés de brume. Sur le chemin, deux hommes s'efforcent de relever une charrette embourbée dont le cheval a été dételé; 1871.

Appartient à M. Mareschal.

H. $0^{m},42$. L. $0^{m},45$.

420. — La Route de Vauhalland le matin; souvenir de la vallée de Bièvre. 1872

H. $0^{m},40$. L. $0^{m},26$.

421. — La Vieille écluse; sous bois.

H. $0^{m},32$. L. $0^{m},41$.

422. — La Mare au vieux saule.

H. $0^{m},32$. L. $0^{m},41$.

423. — Le Marais.

Le disque du soleil couchant va disparaître à l'horizon; des bandes de canards sauvages s'abattent sur les marais; 1872.

Appartient à M. Mareschal.

H. $0^{m},16$. L. $0^{m},32$.

424. — Le Bouquet de chênes; la Tournelle.

Appartient à M. Luquet.

H. $0^{m},64$. L. $0^{m},80$.

425. — Arbres dans une clairière; étude.

H. $0^{m},67$. L. $0^{m},52$.

426. — Étude de roches couvertes de lierres et broussailles; fonds de la Tournelle, ciel très-fin.

H. $0^{m},31$. L. $0^{m},40$.

427. — Temps d'orage, esquisse.

H. $0^{m},52$. L. $0^{m},65$.

428. — Neige, verglas et grésil; 1873.

Appartient à M. Faure (de Lille).

H. $0^{m},38$. L. $0^{m},46$.

429. — La Route blanche.

Une route crayeuse et poudreuse mène à un maigre bouquet d'arbres. A droite et à gauche du chemin, des pièces de terre couvertes d'éteules après la moisson et l'enlèvement des récoltes; une chaleur caniculaire pèse sur cette nature sèche et nue.

Salon de 1874.

H. 0m,54. L. 0m,73.

430. — Chemin dans les champs.

Bordé à gauche de buissons et à droite d'avoines; élégant bouquet d'arbres en second plan, et porteuse d'herbe sur le chemin. Le paysage est enveloppé d'un brouillard matinal que le soleil commence à dissiper. 1860.

Appartient à M. Piquet.

H. 0m,33. L. 0m,41.

431. — Crépuscule.

Un étang sur le premier plan à gauche; à droite, près de deux bateaux amarrés, un paysan fait abreuver son cheval; au fond du tableau, groupe de maisons surmonté d'un clocher.

Appartient à M. Dagnan.

H. 0m,35. L. 0m,72.

432. — L'Aube.

Appartient à M. Dagnan.

H. 0m,35. L. 0m,72.

433. — Soleil couché.

Une route dans la plaine; un cavalier se détache en silhouette sur un ciel empourpré.

Appartient à M. Lambert.

H. 0m,26. L. 0m,40.

434. — Le Braconnier.

Il est à l'affût dans un pli de terrain et vise des chevreuils qui traversent la plaine. Ciel du soir, dont la coloration va du jaune citron au rouge carminé; arbrisseaux grêles et effeuillés à droite.

Appartient à Mme Devaux.

H. 0m,45. L. 0m,37.

435. — Les Faneuses en plaine.

Elles ramassent au rateau le foin en petits tas pour le protéger contre l'humidité de la nuit, car le soir arrive et le disque du soleil descend rapidement à l'horizon.

Appartient à Mme Devaux.

H. 0m,31. L. 0m,39.

F

MARINES

FÉCAMP — BOULOGNE

1861 – 1873

MARINES

FÉCAMP — BOULOGNE

1861-1873

436. — Les bateaux d'Équihen; environs de Boulogne.

H. 0m,35. L. 0m,72.

437. — Après la tempête.

Le flux dépose sur la plage le cadavre d'un naufragé; Fécamp, 1861.

H. 0m,47. L. 0m,60.

438. — Pleine Mer au croissant; Fécamp.

H. 0m,43. L. 0m,67.

439. — La Mer au soleil couchant; Fécamp.

C'est du plateau d'une falaise que le spectateur contemple l'imposant spectacle d'un coucher de soleil sur la mer. Un pâtre couché à plat ventre sur le bord de l'abîme, regarde dans l'immensité, pendant que ses moutons paissent çà et là l'herbe rare qui croît sur ces terrains rocheux.

Appartient à M. Ad. Desbrochers.

H. 0m,60. L. 1m,00.

440. — Étude de falaise; environs de Fécamp.

Appartient à M. Mareschal.

H. 0m,41. L. 0m,32.

441. — Pleine mer vers le soir, eaux clapotantes, Boulogne.

Appartient à Mme Desbrochers.

H. 0m,32. L. 0m,52.

442. — Falaise aux environs de Fécamp ; effet de soleil couchant.

Appartient à M. Passa.

H. 0m,41. L. 0m,33

443. — Coup de soleil sur la mer ; Boulogne.

Appartient à M. Mareschal.

H. 0m,45 L. 0m,65.

444. — Soir d'orage ; derniers rayons de soleil sur la plaine ; environs de Boulogne ; 1869.

H. 0m,21. L. 0m,43.

445. — Marée montante, à Équihen.

Appartient à M. le docteur Aimé Martin.

H. 0m,35. L. 0m,72.

446. — Soleil couchant en pleine mer ; ciel brumeux ; Boulogne.

H. 0m,31. L. 0m,52.

447. — Dunes d'Équihen ; mer moutonneuse.

H. 0m,25. L. 0m,33.

448. — Dunes d'Équihen ; mer calme.

H. 0m,25. L. 0m,33.

449. — Le cap Gris-Nez, environs de Boulogne ; ciel gris, mer blanche et maisons de pêcheurs sur les dunes.

H. 0m,31. L. 0m,47.

450. — Le Hameau et les dunes d'Équihen ; environs de Boulogne.

H. 0^{m},60. L. 1^{m},00.

451. — Le Grain en mer ; Boulogne.

H. 0^{m},38. L. 0^{m},46.

452. — Le Paquebot d'Angleterre ; Boulogne.

H. 0^{m},35. L. 0^{m},66.

453. — Saint-Valery ; étude.

H. 0^{m},38. L. 0^{m},46.

454. — La Maison du douanier, à Équihen ; Boulogne.

H. 0^{m},38. L. 0^{m},46.

455. — La Chute du jour ; vue prise aux environs d'Hazebrouck.

Salon de 1872.
Appartient à M. Paul Gravier.

H. 0^{m},60. L. 1^{m},0.

456. — La Route de Vimereux ; Boulogne.

Appartient à M. C. Daubigny.

H 0^{m},45. L. 0^{m},60.

457. — Pleine Mer, effet du soir ; Boulogne.

H. 0^{m},25. L. 0^{m},37.

458. — Le Vieux Port de Boulogne à marée basse ; effet du matin, esquisse chatoyante et lumineuse comme un Bonington ; 1872.

Appartient à M. Ernest Chesneau.

H. 0^{m},38. L. 0^{m},61.

459. — Marée basse, à Saint-Valery sur Somme.

« La marée basse est, avec des premiers plans voilés d'une ombre légère, la fête et le feu d'artifice du soleil à l'heure où il va disparaître au milieu d'un conflit de nuages dorés, empourprés, vivants. Il y a là comme un flamboiement d'incendie sur la mer, et pour être téméraire, l'effet n'est pas moins savamment observé. »

Paul Mantz ; *le Temps*, 15 juin 1873.

Salon de 1873.

Appartient à M. Mareschal.

H. $0^m,95$. L. $1^m,35$.

460. — Pluie et soleil ; esquisse du tableau du Salon de 1873 ; Boulogne.

Appartient à M. Faure (de Lille).

H. $0^m,35$. L. $0^m,71$.

461. — Pluie et soleil ; souvenir des plaines de l'Artois.

Une prairie s'étend à perte de vue, à demi enveloppée dans la pluie. Les nuages se pourchassent et se croisent ; un coup de soleil blafard perce ce ciel gonflé d'eau, et glisse sur les arrière-plans du paysage ; quelques vaches paissent dans les herbes mouillées.

Salon de 1873.

H. $^m,10$. L. $2^m,15$.

DESSINS

462. — Sentier dans une clairière de bois. Ciel pluvieux et arbres agités par le vent ; aquarelle d'après le tableau « la Pluie, » inscrit au présent Catalogue sous le n° 195.

463. — Le Village et le coteau de Courgent ; effet de neige ; dessin aux deux crayons sur papier gris ; 1870.

464. — La Route des Gredeux; effet de neige et de givre; dessin très-fin de silhouette aux deux crayons sur papier gris; 1870.

465. — Rêverie; deux femmes errent le soir au bord de l'eau sous de grands arbres; dessin mine de plomb et gouache sur papier gris.

466. — La Rivière la Noye, souvenir de Picardie; dessin aux deux crayons sur papier gris.

467. — Les Prés de Millemont; vaches au pâturage; dessin à la mine de plomb sur papier gris, ciel gouaché de blanc.

468. — Chemin en plaine, sur lequel se hâte une vieille femme; temps orageux, hautes herbes tourmentées par le vent; dessin à la mine de plomb sur papier gris jaunâtre et ciel gouaché de blanc.

469. — Le cap Gris-Nez; environs de Boulogne; un pêcheur se rend à la plage; le ciel et la mer gouachés de blanc s'enlèvent en clair sur la ligne finement étudiée des terrains.

470. — Le Hameau de Vimereux, environs de Boulogne; dessins à la mine de plomb sur papier gris avec ciel gouaché de blanc, même sujet que la peinture inscrite au catalogue sous le n° 456.

471. — La Jetée et le port de Boulogne; à gauche, le clocher de l'église Saint-Pierre; dessin à la mine de plomb, rehaussé de blanc sur papier gris.

472. — Le hameau des Fontaines près Courgent; effet de neige. Les maisons se groupent à droite derrière des arbres dépouillés d'un jet élégant; à gauche un chemin contournant le hameau mène aux bois; dessin aux deux crayons sur papier gris; 1870.

473. — Étude de Saules; dessin à la mine de plomb sur papier gris.

Appartient à Mlle Joséphine Chorgnon.

474. — Le Loup; intérieur de forêt en hiver, effet de de neige; dessin aux deux crayons sur papier gris.

Appartient à Mlle Joséphine Chorgnon.

475. — La Tour de Montfort-l'Amaury; dessin aux deux crayons sur papier gris.

Appartient à Mlle Joséphine Chorgnon.

476. — Le Soir; première pensée du tableau inscrit au catalogue sous le n° 259.

Appartient à Mlle Joséphine Chorgnon.

477. — Le Ruisseau du Paity; croquis du tableau catalogué sous le n° 214.

Appartient à Mlle Joséphine Chorgnon.

478. — La Mare de Mulcent; dessin à la mine de plomb et au crayon blanc sur papier gris.

Appartient à Mlle Joséphine Chorgnon.

479. — Le Hameau de Courgent; effet de neige, 1870. Maisons du village en contrebas d'une route, dominée à droite par des terres plantées de pommiers; dessin aux deux crayons sur papier gris foncé.

480. — Dunes et plage d'Equihen, environs de Boulogne; dessin à la mine de plomb sur papier gris, avec le ciel et la mer gouachés de blanc.

481. — L'Étang et les bois de Millemont; dessin à la mine de plomb légèrement rehaussé de blanc sur papier gris d'un ton chaud; croquis du tableau inscrit au catalogue sous le n° 403.

482. — La Plaine après la moisson; blés disposés en dixains; à l'horizon la silhouette du hameau de Mulcent; dessin au pastel sur papier gris.

483. — Lisière de bois avec biches; dessin aux deux crayons sur papier gris.

Musée de Pont-de-Vaux.

484. — La Sortie du bois; des arbres à la forme finement cherchée se détachent en vigueur sur un ciel teinté de blanc; dessin à la mine de plomb sur papier gris.

485. — La plaine et le hameau des Billeux; effet de givre et de neige; dessin très-délicat, aux deux crayons sur papier gris; 1870.

486. — Le Village d'Ostrohove, environs de Boulogne; groupe de maisons au milieu d'arbres et de haies sur lesquelles sèche du linge; dessin à la mine de plomb sur papier gris; avec ciel gouaché de blanc.

487. — La Plaine de la Tournelle au milieu de la fenaison; étude pour le tableau : «les Derniers rayons,» n° 314 du catalogue; dessin sur papier gris rehaussé de pastel.

488. — Le Coteau et les Prés de Courgent; mare au premier plan avec une laveuse, ciel orageux, lumières gouachées de blanc sur les maisons, dessin à la mine de plomb sur papier d'un ton chamois.

489. — Le Hameau de Vimereux; environs de Boulogne. Un chemin frayé au milieu de terrains arides et sauvages passe sur un pont et conduit aux maisons des pêcheurs. Ciel gris dans la partie supérieure et lumineux à l'horizon.

490. — La Porte de Montfort-l'Amaury

Appartient à Mlle Joséphine Chorgnon.

491. — Plaine avec pommiers et peupliers; effet du soir; dessin aux deux crayons sur papier gris.

492. — Etude d'arbres; souvenir de Picardie; dessin sur papier gris avec ciel rehaussé de blanc.

493. — Étude d'arbres; souvenir de Picardie; dessin sur papier verdâtre, avec le ciel rehaussé de blanc.

494. — La Rivière du Paraclet à Boves (Picardie); pont rustique au milieu des bois; dessin au fusain avec lumières gouachées dans le ciel.

495. — Le Ruisseau du Paity; arbres élégants, d'une forme très-cherchée; dessin aux deux crayons sur papier gris bleuté.

496. — Hameau dans une plaine, environs de Boulogne; ligne d'horizon très-étudiée se détachant en ferme silhouette sur le ciel teinté de blanc.

497. — La Ruine de Binanville; dessin aux deux crayons sur papier gris.

498. — Dans les bois : un jeune garçon s'appuie le long d'un arbre; dessin aux deux crayons sur papier gris.

499. — Chemin et pommiers dans la plaine; effet de soir et lever de lune; dessin aux deux crayons sur papier gris.

500. — Le Coteau et l'église de Montchauvet; dessin sur papier gris verdâtre légèrement rehaussé de blanc.

APPENDICE

501. — Route dans le bois d'Igny; effet de crépuscule; sur le chemin, un homme chargé de bois mort.

Appartient à M. Berthelier.

H. 0^{m},27. L. 0^{m},21.

502. — Effet de nuit; à droite, une maisonnette où brille une lumière, groupe d'arbres; sur le chemin, une femme chargée d'herbe.

H. 0^{m},32. L. ^{m},40.

503. — Le hameau des Billeux en automne; 1870.

Appartient à M. Frédéric Henriet.

H. 0^{m},33. L. 0^{m},39.

504. — Le petit Voyageur.

Il chemine en plaine, par un soir d'automne; ciel limpide et froid avec le croissant de la lune; 1849.

Appartient à M. Allongé.

H. 0^{m},20. L. 0^{m},31.

505. — Intérieur de bois au mois de mai; ciel bleu; 1870.

H. $0^{m},78$. L. $0^{m},53$.

506. — Pommier fleuri dans une prairie traversée par un sentier.

H. $0^{m},32$. L. $0^{m},41$.

507. — Étude de broussailles à Meudon; mars 1847.

H. $0^{m},21$. L. $0^{m},25$.

508. — Pré et lisière de bois; effet de matin d'un grand éclat de lumière.

H. $0^{m},42$. L. $0^{m},68$.

509. — Étude dans le bois de Clamart en automne.

H. $0^{m},26$. L. $0^{m},17$.

Imprimé en France
FROC011130210120
23228FR00018B/261/P

9 782329 354644